不生病的生活

實踐篇

新谷弘實＋著
劉滌昭＋譯

從現在開始，照著做可以改變你的人生！

推薦序

人人都有權利過不生病的生活！

食物對於人類而言，不僅提供日常活動時所需要的熱量，也提供生長發育所需要的營養素，其中所含有的成分，也會影響人體生理機能；因此，往往會因為飲食習慣的不同而影響到健康狀態。從許多流行病學的調查結果可以發現，飲食的習慣和人類的健康與壽命有著密不可分的關係。近年來，由於飲食及生活習慣的改變，癌症、心臟病和心血管疾病，也就是所謂的生活習慣病（life diseases），已占國人死亡原因之首位，比例年年上升，而且很難用醫藥方法治癒。

食物中的某些成分，經過消化、吸收，以及代謝之後，會對人體的生理系統造成各式各樣的影響。這說明了食物不僅有營養、嗜好性機能，還具有增強人體防禦能力、調節體力、調節內分泌、疾病的抑制及回復，以及維持體內恆常性等生理機能特性。預防生活習慣病最有效的方法就是，維持規律的生活習慣與均衡的飲食，因此從以均衡的飲食來提升體內防禦機能、預防生活習慣病的觀點來看，就有必要認眞的思考，該怎麼來選擇日常生活中所攝取的食物內容才有益健康。

面臨高齡化社會所帶來的醫療、社會問題，生物醫學的研究重心不再是延長壽命，而是轉爲尋求降低因老化而逐漸增加的慢性病發生率。現代人類追求的目標不單只是長壽而已，還要活得健康；如果能夠有效的預防惡性腫瘤及心血管疾病的發生，就不難達到健康且長壽的人生。

生活習慣病的發生多在飲食不均衡，以及不良的生活習慣下日積月累所導致，因此要維持健康需要在日常生活習慣上平衡營養、運動和休養三要件。由於近年來國民的生活水準提升，健康意識日益抬頭，因此建立一般民眾正確的飲食、營養觀念，以適度的營養和運動來達到預防疾病、增進健康的目的，是非常重要的工作。本書作者新谷弘實醫師以多年的行醫經驗與臨床研究，加上近年來已陸續在專業期刊，如《美國營養學會期刊》發表的科學理論和數據佐證支持下，教導讀者實踐正確的飲食，以及培養正確的生活習慣。人人都能夠做到這兩大保健要點的話，當然有權利過不生病的生活！

日本國立東北大學博士
台北醫學大學保健營養學系教授
陳俊榮

見證序

定期的咖啡灌腸，使我的膽固醇降低了

《不生病的生活》，它是我最愛的一本書。提到作者新谷弘實，我會說，他是我的貴人，我既是他的仰慕者，更是新谷飲食健康法一〇〇%的實踐者和推廣者。

自二〇〇六年四月到二〇〇七年五月，將近一年，從新谷醫師在書裡所推廣的奇妙酵素、還原水與咖啡灌腸的實踐中，充分體驗到其對健康幫助之大，因此，藉著在全國各地的巡迴演講，我不斷地和追求健康的朋友們分享這一切，並且在「無毒的家國際連鎖」推廣「新谷弘實健康餐」，和在最近幾次舉辦的半斷食營活動中，大力引薦「新谷飲食健康法」。

在半斷食營中，教導參與者以正確的咖啡灌腸來輔助斷食排毒，未來我們將規畫「不生病的生活讀書會」，讓大家深入討論新谷醫師在書中所提到，顛覆傳統觀念的諸多劃時代的養生法則。我要再一次強調，新谷醫師是我的貴人，我迫不及待的希望，他能成爲更多人的貴人，讓大家都能像我一樣，身體不但越來越健康，也活得更加有幸福感。

其實，在中文版於今年三月出版前，我已閱讀過日文版。那是去年（二〇〇六年）春天，偶然間在東京的書店裡發現了這本書，翻閱到版權頁時，驚訝的發現才短短幾個月，這本書已經發行了十七刷。我很好奇，怎麼會有一本健康類書籍可以這麼暢銷？於是趕緊買了一本仔細拜讀，我越讀越受震撼，尤其是新谷醫師在書中所提到的咖啡灌腸更令我感受強烈。正好不久之後（也是二〇〇六年，十月），我和「無毒的家」工作伙伴們一行多人遠赴德國的自然療法中心參加斷食營，期間觀賞了哥森自然療法（Gerson Therapy）的咖啡灌腸影片，並實際體驗。對照新谷醫師每天實施咖啡灌腸的敘述，立即印證了它對清腸排毒的效果。

從去年底到現在，五個多月以來，除了每天清晨八點以前的正常排便之外，我每天還會做一到兩次的咖啡灌腸（一次在正常排便後不久，晚上則會視情況再做一次）。定期的咖啡灌腸，使我的膽固醇和中性脂肪都降低了。我曾因膽結石而開刀，是個沒膽的人，一直有膽固醇和中性脂肪偏高的問題。現在，透過咖啡灌腸，我的健康得到更好的照顧。

經營「無毒的家」七年多以來，我和工作夥伴們一直努力推廣的，無非就是健康的飲食之道和不生病的生活方式。因此，在續集付梓之際，我滿心歡喜地以新谷飲食健康法實踐者的身分，撰寫了這篇見證序，期盼更多的人能和我一樣，從身體力行中身心受益。

《國民用藥手冊》及《無毒的家》總編輯
「無毒的家國際連鎖」食療指導顧問
王康裕

專業推薦

我們每個人的生命，都可按照「生命劇本」健康美好走完全程，本書就是我們生命劇本的最佳範例。

——**邱文達** 台北市立萬芳醫院院長、神經外科醫師

健康是需要靠自己去經營管理，不生病的飲食生活推崇選擇自然、新鮮食材，以食物中酵素調節身體，配合足夠水分與正常排泄，提升身體的免疫力，是一本可以教你落實健康生活的書。

——**蘇秀悅** 台北醫學大學附設醫院營養室主任

在《不生病的生活．實踐篇》中，新谷弘實醫師提出具體可行的飲食方法，以及健康的生活方式，除了解除疑慮，更值得身體力行。謹予推薦！

——**陳錦煌** 新港文教基金會創會董事長

吸收健康新知，也要身體力行。
健康應該是實際生活的狀態，而不只是一種期待。

——黃苡菱　芝名生物能量中心營養師

「無知」、「疏忽」是生病的主因，本書提供正確的知識及方法。
用心去實踐，你我都能擁有「不生病的生命」。

——王明勇　「TVBS　健康兩點靈」生機食療專家

目錄

前言

第一章　安享天年的生活方式

第二章 解讀酵素的暗號

目錄

第三章 不易生病的飲食生活

目錄

第四章 可延長壽命的實踐法

結語

前言

人類的身體本來是不容易生病的

醫學日新月異，但爲什麼受疾病所苦的人卻沒有減少呢？

身爲臨床醫師，我在每天與許多患者接觸的過程中，產生了這樣單純的疑問。於是我試著開始調查病人的飲食習慣和疾病的關係。

經過數十年的調查，我發現攝取了多少數量的某種食物，或是養成什麼樣的生活習慣，與一個人的胃相與腸相（這是我仿照「面相」一詞，自創的用語），以及健康狀況有著密不可分的關係。

截至目前，醫療機構都只針對糖尿病等必須限制飲食的疾病，給予「飲食指導」，但這種做法只不過是爲了避免疾病惡化而已。至於可預防疾病的飲食指導，或可使人健康長壽的生活習慣指導等，卻常成爲醫療的盲點而被忽略。

本來，人類的身體受到多重防禦系統和免疫系統保護，並不容易生病。因此，只要沒有先天性的毛病或是過度違反自然的話，即使多少有些不適，也不至於生病。

原本不容易生病的身體，會發生疾病的最大原因，就在於長期不斷累積的「不自然的飲食」和「不自然的生活習慣」。

大部分的人正是因爲不知道什麼樣的食物對人類有益，又什麼樣的食物有害，結果引發疾病。我的前一本著作《不生病的生活》，就是爲了傳達「正確的飲食」和「正確的生活習慣」，以求幫助眾人維持健康而寫。

但是大部分的人都根深柢固的認爲疾病應該由醫師使用藥物來治療，因此出版當時，我對於有多少人能接受我所提倡的飲食健康法，老實說並沒有太大的信心。

《不生病的生活》一書超出我的想像，受到廣泛的支持，成爲銷售量超過百萬冊的暢銷書。能讓大家理解到疾病並非不可避免的命運，而是自己持續累積不良習慣而造成的結果，身爲一名醫師，我感到非常高興。當然更開心的是，有許多人開始採取積極的做法來維持自己的健康。

在上一本著作中，我以強烈的言詞呼籲**「生活習慣病其實就是自我管理缺陷病」**，目的是希望每一個人都能注意到自己的健康只有自己能夠維護。聽到這樣的想法被讀者眞心接受，並且熱情響應，積極地維護自己的健康，令我十分欣慰。

眾多讀者的熱烈回響，給了我更多的刺激與啓發。其中最多人反應「顚覆了許多過去一直深信的常識」。例如，牛奶和人造奶油有礙健康、攝取過多兒茶素會使胃相惡化、常食用肉類和優酪乳的人腸相不佳等，這些過去以爲對身體和健康有益的食品，反而可能變成危害健康的原因，已在臨床上獲得證實。

不過在這些事實強烈打動讀者的同時，很多人也產生出「那麼應該吃什麼才對？」「這些食物絕對不可吃嗎？」等各種疑問和不安。

我認爲讀者有這樣的想法是理所當然的。因爲，喝牛奶可以攝取鈣質、使用植物性的人造奶油比動物性脂肪的牛油健康、成長期的小孩不可缺少優質動物性蛋白質等**「落伍的營養學」，仍深植在人們的腦海中**。

很多人問我：「如果牛奶眞的對身體不好，爲什麼日本不對牛奶設限呢？」其實我也認爲有必要限制牛奶的攝取。特別是無視於小孩本身的好惡，強迫性的餵食牛奶，我絕對反對。

但是，**根深柢固的常識是很難立即改變的**。例如，人類很久以前就知道香菸有害健康，但是到現在對香菸的限制仍然不足。很遺憾的，我們不得不承認這些社會的現實。

在這種狀況下，重要的是發現正確的資訊，爲自己選出對你的身體有益的食物。我認爲身爲醫者，對於哪些食物對身體有什麼效用或是有什麼害處，需要更謙虛的接受臨床事實，然後公開這些資訊。

基於這種「讓病人了解事實，以產生警惕」的想法，我在前一本著作《不生病的生活》裡頭，介紹了我從臨床上得知的「理想的飲食」和「理想的生活習慣」。

但，這些終究是「理想」。

無需因某種食物對身體不好就完全拒絕。事實上，不過度累積壓力，與正確的飲食生活同樣重要。

我希望每個人都能在沒有壓力的環境下，持續施行理想的飲食和生活習慣，但各種生活環境的特殊性，使很多人無法每天實踐。也有人因爲應酬等等因素，很難只吃自己選擇的食物。相信也有些人特別喜愛牛奶、乳製品、厚厚的牛排或油炸食物，而難以克制。

沒關係。我們無需因爲某種食物對身體不好就完全拒絕。對人類而言，不要過度累積壓力，與正確的飲食生活同樣重要。

當然，攝取過多有害食物，引發疾病的風險確實比較高。不過正如前面所述般，我們的身體有能力處理一定程度的有害食物，具備了使身體健康生活的力量。

因爲對身體不好，勉強克制自己，拒絕喜愛的食物而累積壓力，反而有害健康。不如在身體能夠處理的範圍內，一方面享受美食之樂，同時在整體上持續「正確的飲食」和「正確的生活習慣」才是最重要的。

老實說，我也是愛好肉類的。

不過，因爲我知道肉食對身體不好，所以每年只吃兩、三次左右，並且盡可能的選擇非餵食人工飼料，採取自然而健康的方法飼養的動物肉類。雖然價格稍貴，但因每年不過食用幾次，並不致於造成太大的負擔。再者，減少品嘗喜愛食物的次數，還會產生感覺到「吃的喜悅」這樣的好處。

不論多麼美味的食物，如果過於頻繁享用，「好吃！」的感動也會逐漸淡薄。若只是偶爾嘗之，品嘗美食時的感動就會非常強烈，甚至可能帶來明天的活力。

總之，健康長壽的祕訣，就是在享受美食的同時，實踐「正確的飲食」和「正確的生活習慣」。

能使胃腸美麗的「酵素療法」

前一本著作說明了爲何持續正確的飲食和生活習慣，就能健康的安享天壽，以及它與支持生命活動的「奇妙酵素」之間的關係。

簡單的說，**「不消耗奇妙酵素的生活，就是健康、長壽的生活」**。或許有些讀者在本書中才首次接觸到我自創的名詞「奇妙酵素」，因此這裡先重覆說明一下。

「酵素」是生物細胞內製造的蛋白質觸媒的總稱，是維持生命以及活動不可缺少的物質。植物的種子發芽、成長都是酵素的作用，我們消化與吸收食物、活動肢體、思考事情等，也是靠酵素的運作才得以完成。

酵素的種類非常多，人類生存所需的酵素估計達五千種以上。爲什麼需要這麼多種類的酵素呢？原因是一種酵素只能發揮一種特定的功能。

生命體能因應自己體內所需，生成各種酵素，但是細胞如何製造酵素，至今依然不明。

從支持生命的各種「體內酵素」（body enzyme）可以看出一種傾向，就是如果大量消耗某特定部位的特定酵素，那麼其他部位所需的酵素就會不足。根據這個事實，我提出了酵素並非數千種類個別生成，而是先製造出原型酵素，然後再依需要轉換成某種酵素來使用的假說，並將各種體內酵素的原型稱作「奇妙酵素」。

酵素被使用在種種生命活動上，「解毒」作用是消耗酵素最多的工作。因此可以說，**必須解毒的因素越多的人，酵素的消耗也越激烈，結果，維持健康所需的酵素就會不足，因而容易罹患疾病**。

所以，不生病的飲食和生活習慣，換一種說法就是**「身體無需解毒的飲食習慣」和「立刻排除身體必須解毒的因素的生活習慣」**。

一般被認爲對身體有益的食物中，實際與臨床資料對照，卻可以發現不少是會在體內產生毒素，對身體有害的食物。因此有不少人吃下了以爲對身體有益，實際卻會大量消耗奇妙酵素的食物，反而導致身體容易生病的事實。前著中特別對「牛奶（包含乳製品）」、「肉類」、「人造奶油」、「白米」等提出警告，就是希望大家注意過去常識中的錯誤。

但只是做到防止酵素的消耗還不夠。爲了健康、長壽，還得「增加與活化奇妙酵素」。

那麼如何才能增加、活化奇妙酵素呢？

酵素在我們的體內製造，其生成方法大略可區分爲兩種，一是在細胞內生成，另一種則是由體內的常在菌製造。

首先，爲了使細胞順利生成酵素，就必須攝取「富含酵素的活的食物」做爲原料。要促進體內常在菌製造酵素，就必須改善腸內環境。前一本著作所說的**「胃相與腸相良好的人是健康的人」**，就是因爲他們的體內沒有會對健康造成不良影響的毒素滯留，而且對身體有益的常在菌會大量製造酵素。

體內環境可大幅改變酵素的作用，而且有各種方法可以活化酵素。例如防止體溫變低、產生幸福感、調整生理時鐘使身體確實獲得休息等等。換言之，改善生活習慣可活化酵素。

我的專業是使用內視鏡來診斷、治療胃腸疾病的胃腸內視鏡外科。通常，內視鏡外科醫師會先以內視鏡檢查胃腸，若發現到異常物就會採取外科手段來治療。

但是我不會只是施行外科治療，而且會將治療重點放在飲食和生活指導上。這是因爲多年來的臨床經驗，使我深刻體認到以「奇妙酵素理論」爲基礎的飲食與生活指導，能防止疾病復發和轉移，也是讓沒有生病的人維持健康的有效方法。

在我從事醫療活動的美國，這種治療法被稱爲**「酵素療法」**（Enzyme Therapy）。不少醫師與研究人員已經認識到酵素左右了人體的健康，目前正積極進行酵素療法的研究。以我的「奇妙酵素理論」爲基礎的酵素療法，也是其中之一。

我的「奇妙酵素理論」在現階段只是一種假說，不過，補充酵素、節省酵素消耗、活化酵素的治療法，根據長年來的臨床經驗，已證實是可以改善胃相與腸相，以及防止癌症復發，有實際成果的酵素療法。

基於讀者對前一本著作的熱烈回響，本書將更具體的敘述能節省酵素消耗，同時可增加與活化酵素的飲食和生活習慣。

「酵素、微生物、基因」三者順利交流，使免疫系統完全發揮功能，身體才得以保持健康。

人類的身體是無數生命的集合體

人類的身體非常精密而且珍貴。

我擔任醫師超過四〇年，在臨床上治療過無數病患，但是初接觸醫學時對「生命」所產生的感動與敬畏，至今絲毫不減。而且不但沒有減弱，學習越是深入，人體組織的精密和大自然的偉大，越發令我感動。

現在，我感覺到所謂「生命」的深奧世界中，存在著一個法則。那就是生命與生命的交流，支持著我們的生命。人們常說一個人無法生存，其實，「生命」也是與各種生命共存才得以存在。

人類的生命能夠延續，也是拜地球上存在著各種動植物和微生物之賜。**「生命是以其他所有生命爲養分而得以生存」**，這裡所說的養分，並非單純指食物。例如人類的身體中，就共存著無數名爲「細菌」的生命，沒有這些細菌，我們一天也無法存活。

而且，構成我們身體的六〇兆個細胞，每一個都是擁有所謂「生命資訊」之基因的單一生命體。由此來思考，**每一個人可說是六〇兆個細胞加上無數（數百兆個）細菌所組成的集合體**。

請大家想像一下。

你也是以無數生命集合體的形態生存著。

如本文中將會詳細說明的，組成每一個人的無數生命，為了維持身體的健康，不斷的進行交流（資訊交換）。

聽到體內的微生物與細胞內的基因進行交流，是否令人難以置信？

那麼，如果沒有這種交流，身體要如何從數千種酵素中判斷現在最需要什麼酵素？如何傳達出訊息，以製造出必要的數量？我的看法是，唯有腸內細菌與體內的基因交換資訊，也就是進行交流，才能夠製造出酵素。

「酵素、微生物（包括腸內細菌）、基因」三者順利交流（三角交流），使免疫系統完全發揮功能，身體才得以保持健康。我是這麼認為。

那麼，它們如何交流呢？我認爲「水」扮演了重要的角色。構成人類身體的要素中，最多的就是水分，占了人體的六〇～七〇％。內臟與細胞自不用說，連感覺很乾燥的皮膚，實際上也充滿了水分。豐富的水分藉著「血液與淋巴」、「胃腸」、「尿液」、「呼吸」等四種「水流」在體內循環。推測基因、微生物、酵素就是以這些體內的「水流」爲媒介，相互交換資訊，亦即進行所謂的交流。

另外還有一種「流」，它不是水流，但對體內的交流也發揮了很大的功能，那就是「氣流」。「氣」與奇妙酵素同樣，雖然還沒有經過醫學的證明，但是它的存在對人類身體有很大的影響，這類從經驗得到的事實已經逐漸被認可了。實際上，東方醫學在數千年前就有運用「氣流」的治療法，而且獲得了顯著的成果。

事實上，我所收集到的臨床資料，也顯示基因、微生物、酵素的三角交流，與體內五個主要的流會相互影響。

三角交流順利進行時，五個流也運行順暢，同樣的，五個流順利循環，三角交流也很良好，換言之，就是身體是健康的。

人類的身體是無數個生命的集合體，同時也是共同擁有一個生命的命運共同體。**對身體某個部位有害，對全身也有害，相反的，對身體的某個部位有益，對全身也有益**。例如一般人說香菸會危害肺部，但事實上，香菸的危害會經由五個流擴大至全身。反之，攝取對腸子有益的食物，不僅能改善腸相，也有助於全身的健康。

你的身體是你的，但並非只屬於你。

要知道，是無數的生命一起在維護著你的生命。希望大家對身體、內臟、每一個細胞、腸內的細菌，都要抱持體諒與感謝之心。因爲，即使你自己不愛惜身體，它們依然毫無怨言的盡力保護你的「生命」。能做到這一點，自然不會做出傷害身體的行爲。

本書將健康、長壽的實踐方法分成「正確的飲食」、「好水」、「正確的排泄」、「正確的呼吸」、「適度的運動」、「良好的休息與睡眠」、「笑容與幸福感」等七個項目，會盡可能具體的說明。這七個健康法不但能節省酵素的消耗，更能增加與活化酵素，而且可以改善與免疫系統息息相關的「五個流」。

人類的身體本來是不容易生病的。之所以會有那麼多人為疾病所苦，就是因為身體所具備的免疫系統未充分發揮功能所致。實踐我所提倡的「酵素療法」的人，能夠健康、長壽，也是因為身體的免疫系統正常運作的緣故。

提到健康法或療法，很多人以為必須採取某些特別的做法。其實不然，生命是自然產生出來的，要使生命所具備的功能完全發揮，以維持健康，只需遵從大自然的法則即可。

我們人類與其他動植物同樣，都是大自然的一部分。但所謂遵從大自然的法則，並非指人類應過著如同其他動物般的生活。

創造文明、擁有文化、享受豐富的飲食生活，與遵從大自然的法則來生存並不矛盾。重要的是以適合自己身體的方式，攝取來自大自然的食物，同時配合大自然的節奏來生活。

讀者若能從本書了解到我們體內的運作機制，對於構成身體的無數生命必能產生愛惜之心。

以這種心情與它們接觸，將可藉著它們所執掌的免疫系統，度過健康的人生。不要因爲恐懼疾病，覺得「非這麼做不可」而成爲禁欲主義者。

上一本著作強調「理想」，本書則是「實踐篇」，指導讀者如何享受對健康有益的飲食生活。書中列出許多在自己身體許可範圍內，無需勉強即可學習到的健康生活習慣，讀者們可配合個別的生活型態與個人的差異，將基於酵素療法的這些健康方法導入生活之中。

可配合個別的生活型態與個人的差異，將基於酵素療法的這些健康方法導入生活之中。

C H A P T E R 1

第一章

安享天年的生活方式

母親的勉勵：「成爲像野口英世般的醫生！」

「希望你成爲像野口英世一般了不起的醫生，爲人群服務！」

這是我小的時候，母親經常叮嚀我的話。

我出生於一九三五年，當時，野口英世在日本已成爲國民的典範，刻印在人們的心中。

他生於貧窮的農家，少年時左手曾遭受嚴重灼傷，後來苦讀成爲醫生。他建立起歐美人也難以匹敵的成績，但可惜在研究中因黃熱病而去世。在我幼年時，母親就反覆向我敘述野口英世的故事，而且最後一定不忘叮嚀：「你以後也要做一個像野口英世般的醫生，爲人群服務。」

一直接受這種教誨的我，上了小學就立志成爲醫生以幫助大眾。

但現在回想起來，卻有些不可思議。因爲，我的老家是在九州的柳川經營棉被買賣的商家，身爲長男的我，繼承家業原本是理所當然的事。

我的家庭不像野口英世那樣貧窮，對我的未來也沒有非常高的期待。我也不是因爲在學校的成績特別優秀，被認爲當一位醫生比繼承家業更爲適合。但是母親卻在我尚未就讀小學的三、四歲時，就不斷勉勵我長大以後要「成爲了不起的醫生」。

唯一可能的因素，大概就是母親的祖母的祖父曾經擔任久留米藩（編按：藩爲德川幕府時期縣令制度，相當於中國封建時期的諸侯。久留米藩就位在現今的福岡縣內）的御醫。母親一定非常以先祖爲榮。

因此，一九六三年我以外科實習醫師的身分前往美國時，最高興的人就是我的母親。

赴美初期，一美元兌換三六〇日圓的高匯率，加上繁重的工作與低廉的收入不成比例，生活並不輕鬆，而且還時時感受到種族的歧視。當時，支持我的最大力量就是母親的那句話「成爲像野口英世般了不起的醫生」。

此外，在語言上，因爲母親的關係也使我比其他日本人占有更大的優勢。

因爲我早有赴美留學的打算，因此從小就在母親指導下學習英語，未曾像其他日本人般必須先在語言上投入很大的苦心。後來我才了解，在美國，語言能力（英語能力）與社會評價（收入與社會地位）有密切的關係。在人種大融爐的美國社會中，外國人及部分原住民由於語言能力較低，很難接受高等教育，結果即影響到他們的收入和社會地位。

美國社會雖然有些地方存在著種族和階級差別，但相對的，也有公平的一面，不論任何人，只要在工作上有傑出表現，都能獲得應有的評價。

赴美八年後的一九七一年，我深刻感受到這種精神。

我經過不斷的研究和嘗試錯誤學習，於一九六九年使用勒除器和內視鏡，成功完成世界首次的內視鏡息肉切除術。一九七一年，我在美國胃腸內視鏡學會上發表這項成果。

如果這項手術的優點受到認同，那麼切除息肉即無需再進行開腹手術，可大幅減輕病患的負擔。但同時也將迫使過去只實施過開腹手術的醫師面臨重大改革。我所發明的工具和手術方法，在美國醫學界能得到什麼程度的認同，令我既期待又不安。

成果發表結束，我獲得滿場起立鼓掌的最高規格讚許。所謂「內視鏡外科」的新外科領域也於焉誕生。我聽到久久不歇的掌聲，覺得自己向崇拜已久的野口英世又接近一步。

要過「充實而長久的人生」

我的技術受到肯定後，接觸醫學界各領域名人的機會也大幅增加。其中有一位老醫師，在交談中得知，他在年輕時曾經見過野口英世。

野口英世是我自幼年起就崇拜景仰的人，我十分期待從這位老醫師的口中聽到對他的讚美，因此問了他不少有關野口英世的事情。但是得到的回答卻沒有任何稱讚的話。

老醫師說：「野口醫師的成績，老實說，只是沒有人願意做而已，並沒有非他不可的東西。我倒是覺得你的內視鏡息肉切除術才是偉大的貢獻。」

老醫師的話令我驚訝。爲什麼身爲諾貝爾獎候選人的野口英世，成績卻沒有受到太高的評價？原來，野口英世的研究領域，是誰也不願意接觸的危險工作啊。

野口英世在美國首先從事的，是蛇毒的研究。

當時的美國，很多人被響尾蛇咬到而喪命，因此了解蛇毒和製造血清成爲當務之急。但是這項研究工作必須從活響尾蛇的毒牙中採取毒液，若被咬到就意味著死亡，當然帶有高度危險。

好不容易遠赴美國，卻一直找不到工作的野口，蛇毒研究是他唯一得到的工作，於是將自己的命運孤注一擲在此危險的工作上。

他在這項賭注上大獲成功。他博得了極高的評價，但也使他之後接觸的工作幾乎都帶著危險。他後來相繼從事梅毒螺旋體（Spirochaeta Pallida）、奧羅耶熱（Oroya Fever）、沙眼等研究，最後終於在研究黃熱病時，不幸罹患黃熱病而去世。

以醫學家而言，野口英世的成績可說非常輝煌。雖然他別無選擇，但是他冒著性命危險從事其他人不敢接觸的研究，而且獲得非常成功的結果，仍然值得欽佩。

不過我了解他的眞實情況後，有一件事令我感到相當遺憾。那就是他雖然身爲醫師，卻不太照顧自己的身體。野口英世的生活態度並不好。實際上他是個相當放蕩的人，幸好以小孩爲對象的傳記沒有提到這一點。一方面，他廢寢忘食的專心研究，另一方面，他也經常爛醉如泥，大吵大鬧，過著沒有節制的生活。

來到美國，了解了偶像野口英世的眞實生活後，我下定一個決心，就是「我要成爲像野口英世般的傑出醫師，但是決不要仿效他那種會縮短自己生命的放蕩生活」。

身為醫師必須比一般人更注重健康，以做為病人的模範。

我在年輕時，也像野口英世那樣廢寢忘食的努力工作，但因爲這個決心，我想出了能夠在短時間內讓身體休息，並且恢復體力的方法，才得以一直維持健康。

最近我在思考，如果野口英世的生活不致於大量消耗奇妙酵素，使身體保持健康，或許他不會因爲黃熱病而去世。因爲，與他一起進行研究的其他博士並沒有人罹患黃熱病。由於長年沒有好好照顧身體，大量消耗了奇妙酵素，才無法防止黃熱病的感染。

對我而言，野口英世不但是我自小所崇拜的人，同時也是一位錯誤示範的醫師，從他身上，我了解到身爲醫師必須比一般人更注重健康，以做爲病人的模範。

換言之，我能開創內視鏡外科的新領域，是因爲「希望成爲野口英世般的醫師」的志向。而每天努力工作的同時，仍能維持身體健康，則是因爲「不想過野口英世般放蕩生活」的決心。

野口英世去世時年僅五一歲，可說是「充實而短暫的人生」。不過，相信他也希望活得更久，以幫助更多的人。他未能實現的「充實而長久的人生」，正是同樣身爲醫師的我現在追求的目標。

不可被平均壽命的數字欺騙

野口英世去世時，很多人爲他的早逝感到惋惜。

其實，當時（一九二八年）日本人的平均壽命還不到五〇歲。也就是說，野口英世已活得比當時的平均壽命長壽。

現今，是否超過平均壽命，成爲判斷長壽與否的一個標準。但事實上，以平均壽命做爲基準來思考壽命的長短，不過是最近的事。

從大約二〇年前，日本人的平均壽命躍居世界第一後，才開始注意到所謂的平均壽命。

過去，壽命的長短主要依家族、親戚、鄰居等身旁的人的壽命來衡量。因此，得年五一歲的野口令人惋惜，顯示當時只要身體健康仍可活得長久，八〇歲左右也並不罕見。

由數字來看，日本人的平均壽命確實大幅提高。二次世界大戰剛結束的一九四七年，男性的平均壽命爲五〇．〇六歲，女性爲五三．九六歲。到了二〇〇五年，男性成爲七八．五三歲，女性達到八五．四九歲，六〇年間壽命大約延長了三〇年。

但是此數字並不意味著以前五〇歲死亡的人，都可以活到八〇歲。數字中隱藏著「平均壽命的陷阱」。

所謂平均壽命，換一種說法，即目前〇歲的人的平均剩餘壽命。再說得詳細一點，就是根據某一年的年齡別死亡率，算出該年出生的〇歲幼兒，還可以存活多少年。

日本厚生省每年發表「簡易生命表」，記載了平均壽命和各個年齡的平均餘命。如果仔細閱讀，可以發現一個有趣的現象。

比較一九四七年與二〇〇五年的〇歲幼兒的平均餘命，男性相差二八．四七歲，女性則相差三一．五三歲，但是以相同條件來比較八〇歲者的餘命，男性僅相差三・六一歲，女性也僅相差六・〇二歲。

也就是說，日本人平均壽命大幅延長的主要原因，是乳幼兒的死亡率降低，高齡者的平均餘命並沒有增加太多。

或許有人會說，即使僅有數年，但壽命比過去延長乃是不爭的事實。不過我認爲重要的並非單純的年齡數，而是它的內容。

請大家思考一下。**以前八〇歲的人和今天八〇歲的人，赴醫院求診者的比例哪一個較高？**

答案是現在八〇歲的人。看看你們的四周，超過八〇歲的人，是否幾乎都在接受醫療院所的治療？

實際上，今天六〇歲以上的日本人，因爲某種疾病而住院，或是定期赴醫院看診的比例超過六〇％。換言之，雖然壽命增長，但是在醫院病榻上度過的時間也增加不少。

這種壽命的延長眞的值得高興嗎？

常吃豬肉的琉球人長壽的眞相

過度攝取葷食，會使胃相和腸相惡化，並損害健康。這是許多臨床資料所顯示的事實。

曾經有人反駁說：「琉球的高齡者當中，卻也有人說健康、長壽的祕訣就是吃豬肉。」

常攝取葷食，體質會偏向酸性。原本人類的身體爲pH七．四的弱鹼性。轉向酸性後，身體必須使用骨骼和牙齒中含有的鈣和鎂等礦物質，使pH恢復均衡。多吃葷食的人容易骨質疏鬆，就是這個原因。

肉類中食物纖維含量少，因此糞便的量也相對減少。爲了排出少量的糞便，腸子必須反覆蠕動，結果，腸壁中的輪狀肌（環繞腸子的肌肉）和縱走肌（縱向生長的肌肉）肥厚，使腸子變硬變短。腸子強力收縮時，腸內的壓力增高，左側的大腸中容易形成名爲憩室的袋狀凹陷。糞便滯留在憩室或變厚的折皺之間，就會在腸子裡產生大量毒素。這種毒素使壞菌在腸內占有優勢，逐漸演變成息肉或癌症等嚴重的疾病。

而且，肉類所含的脂肪容易氧化，會在體內製造出大量的自由基。科學已經證實自由基會對健康造成各種危害。

那麼，常吃豬肉的琉球人爲什麼能夠長壽呢？

我認爲與當地的「水」有很大的關係。琉球群島是座落在珊瑚礁上，地質中含有大量石灰成分，使當地的水中含有高達日本本土數倍的鈣、鎂等礦物質。我想琉球人烹調和一般飲水都使用這種高礦物質成分的水，因此即使攝取大量肉類，也不會破壞體內的pH平衡。

其次，關於腸內環境，若比較琉球的傳統飲食狀況與日本全國的平均值，可發現一個有趣現象。琉球的傳統食物中，豬肉的攝取量確實較高，達日本全

琉球人長壽的祕訣並非多吃豬肉，而是同時攝取了富含良質礦物質的水和海藻類。

國平均量的一・六倍，但另一方面，植物的量也高出甚多，例如海藻類爲一・五倍，豆腐爲二・一倍，綠黃色蔬菜也達一・六倍。很遺憾的，我所看過的資料中沒有水果的攝取量，但是由當地的特色來思考，推測水果的攝取量應該也不少。由於蔬菜和海藻類的攝取量多，因此琉球人攝取到其中所含的「植物化合物」（Phytochemical，亦稱爲「抗氧化植化素」或「第七種營養素」，是植物爲保護自己不受紫外線和昆蟲等侵害，而製造出來的物質。）和食物纖維也比較多。

琉球人的傳統烹調法，會先將豬肉用水燙過，去除多餘的脂肪。沒有多餘的脂肪，脂質中所含的膠原蛋白即可抑制自由基的發生。

由於以上這些原因，我認爲琉球人長壽的祕訣並非多吃豬肉，而是同時攝取了富含良質礦物質的水和海藻類、維生素和酵素，以及富含植物化合物的蔬菜和水果，使得肉食的弊害不易出現。

老菸槍活到九〇歲的原因

如同常吃豬肉的人能夠長壽一般，吸菸的人當中也有人生龍活虎的活到九〇歲。

一般而言，九〇歲已算相當長壽了，但人類壽命的極限大約爲一二〇歲。由此來看，活到九〇歲的人與人類的極限相比，還短了三〇年。

當然，短了三〇年的壽命不全然是吸菸所造成，但我想如果這些人不吸菸的話，應該可以活得更長。吸菸仍能健康活到九〇歲的人，如果不吸菸，或許可以成爲百歲人瑞。

香菸會對身體造成各種危害，但若其他的生活習慣或食物、飲水對身體有益的話，仍有可能將危害減到最低。

而且，香菸也並非一無是處，例如它所含的尼古丁具有刺激副交感神經的功能，也可以放鬆因爲工作而亢奮的身體。因此，工作壓力大，交感神經經常處於優勢的人，少量的吸菸可以抒解壓力，爲身體帶來正面的作用。

不過即使如此，香菸中除了尼古丁和焦油外，還含有鎘、亞硝胺、甲醛等許多有害物質，因此持續吸菸，累積至某種程度的數量，一定會危害健康。國際肺癌學會就曾發表資料，顯示肺癌的原因中，八五％爲主動的吸菸，三％爲被動吸菸（吸入他人的二手菸）。

這裡希望吸菸者了解的是，吸菸者旁邊的人吸入的二手菸，毒性比吸菸者本人吸入的菸強了好多倍。

人類的身體有個別差異。有人對抗香菸毒性的能力較弱，也有人具備較強的解毒能力。即使吸菸者本人因抗毒性較強而未發生疾病，但是周遭的人卻可能受害。

希望吸菸者能體認，不單是自己的健康，吸菸對家人等周遭的人也會帶來莫大的傷害。

「家族癌症史」並非不可避免的命運

人們常說，吸菸過多容易引起肺癌，喝酒過多容易導致肝癌，攝取過多肉類易形成大腸癌。這種說法沒有錯，但到底要以什麼樣的頻率，攝取到多少的量，才會因攝取過度而致病，個人的差異甚大，很難一概而論。

例如現在仍不知原因的難治之症潰瘍性大腸炎或克隆氏病，根據我的臨床資料，推測原因可能爲牛奶或乳製品。但實際上，有人僅攝取少量的牛奶或乳製品即發病，也有人即使每天飲用牛奶也沒有生病。

再來比較一下美、日兩國的資料，乳製品攝取量較多的美國，潰瘍性大腸炎和克隆氏病的患者確實比日本多，但是由個人的飲食生活來看，乳製品攝取歷史較淺的日本，卻較容易攝取少量即發病。推測這是因爲日本人的乳製品攝取歷史較短，因此對牛奶和乳製品的抵抗性不足的緣故。

為什麼不同民族或個人會產生這種對抗疾病的差異呢？

現代西洋醫學認為父母罹患的疾病，也常發生在子女身上，主要原因為「體質遺傳」。大家在健康檢查時，相信也曾被問到「家族中有人罹患癌症嗎？」或是「家族中有人罹患糖尿病嗎？」原因就是遺傳被認為與這些疾病有很大的關係。

當然，我們絕對不能無視於遺傳的影響。但是我認為「繼承」父母的飲食和生活習慣，影響遠大於「遺傳」。換句話說，就是**民族的飲食傳統和個人所屬家庭的飲食習慣，與發病率有密切關係**。為了證明這一點，我正在收集各種相關資料。

如果「體質遺傳」眞的是發病的最大原因，那麼擁有完全相同基因的同卵雙胞胎，發生相同疾病的機率，應更高於親子。我曾查閱過生活在不同環境中的同卵雙胞胎發生相同疾病之機率的資料。

這項調查收集了大約一、六〇〇人的資料，結果顯示發生完全相同疾病（包含同質疾病）的機率僅有二一．五％。

另外，我也調查了生活型態相同的夫妻，發生同質疾病的機率。由於夫妻沒有血緣關係，照理說應該沒有相同的遺傳要素。但研究結果顯示，**一起生活的夫妻發生同質疾病的機率，遠高於沒有一起生活的同卵雙胞胎**。

特別是鶼鰈情深，一起生活了數十年的夫妻，例如，一人罹患了大腸癌，另一人出現大腸息肉；或也有妻子罹患乳癌，丈夫發生攝護腺癌等等，這一類的情形相當多見。

飲食和生活習慣造成的因素，引發相同疾病的風險高於遺傳因素。

要獲得明確的結果，還需要收集更多資料，但已經可以確認的是，飲食和生活習慣造成的因素，引發相同疾病的風險高於遺傳因素。

過去，親子或兄弟發生相同疾病時，大多簡單的歸因於「遺傳」。因此，常可聽到有人說：「我有癌症的家族病史。」或「我有腦中風的家族病史。」將疾病視爲「無可奈何的命運」，而默默的接受。

色盲、血友病等確實是與生俱來的基因所引發的疾病，但我認爲癌症、腦中風、心肌梗塞等主要致病原因還不明確的重大疾病，並不會因爲遺傳而提高風險。即使是已有親人發病的人，也不要感到絕望。這些疾病都可以藉著自己的努力來避免。

「抗老化」值得注意

不論男性或女性，相信每個人都希望永遠年輕。特別是感覺到自己的肉體開始衰老時，人們都會全力阻止「老化」。抵抗這種老化而採取的各種方法總稱爲「抗老化」（Anti-Ageing）。**今天的日本也掀起了抗老化的熱潮，但老實說，其中很多方法我並不鼓勵**。特別是爲了讓外表看起來年輕的方法，有不少帶有危險性。例如能恢復美麗肌膚而備受女性注目的化學去角質法，會破壞皮膚重要的保護功能，反而可能招致嚴重的皮膚問題。

我們皮膚的構造，從表面起分成「表皮」、「眞皮」、「皮下組織」三層。其中，可防止水分蒸發和異物入侵，發揮隔離功能的，是表皮上厚度只有二〇微米（一微米等於千分之一厘米）的角質層。角質層非常薄，用指甲輕輕抓就可能將它破壞。皮膚被指甲抓了後出現紅腫，就是保護功能遭到破壞，導致雜菌入侵而引起炎症。

如此重要的角質層，是皮膚老化形成的薄膜狀物體，我們通常稱之為「垢」。很多人認為「垢是骯髒的」，因此每天用搓澡布搓洗，但是，這一層垢正是為了保護皮膚而存在的。皮膚持續受到強烈刺激，容易造成炎症和色素沉澱，因此最好避免過度去除角質層。其實，不需要用力搓洗，舊的角質層也會自然剝落。

所有生物有其各自的壽命，細胞也會配合生物的壽命，以理想的速度進行新陳代謝，若打亂速度必然會產生危害。

化學去角質法使用藥品，強制性的促進表皮細胞的新陳代謝，不但角質層，連表皮也會剝落。實施這種方法後，皮膚看起來確實變得美麗，但是表皮卻成爲不具有保護功能的不成熟皮膚，不能保持水分，也無法阻止異物入侵。這種不成熟的皮膚突然暴露在空氣中，難免不發生問題。而且，它很難抵抗紫外線等的刺激，反而容易出現黑斑。

投予人類生長激素，是另一個危險的抗老化方式。生長激素是攸關骨骼與肌肉的形成、新陳代謝等的重要荷爾蒙，過了成人期之後，分泌量即逐漸減少。分泌量的高峰在十幾歲時，過了四〇歲分泌量減至大約一半，八〇歲以後更減至高峰期的二〇分之一。

生長激素的減少，使身體產生各種老化現象。例如肌肉不再結實、運動能力降低、生出白髮、性機能衰退等，都是因爲生長激素減少所致。

老化是生長激素減少所造成，因此有人採取投予生長激素以阻止老化的方法。這種方法會使身體出現各種變化。例如，脂肪分解作用的機能提高，可以產生瘦身效果，對女性來說，不但肌膚可恢復彈性，甚至可能豐胸。另外，還會出現增高和生髮效果。

或許大家認爲效果顯著，但事實上，效果越明顯也意味著體內發生的變化越大。

這有什麼危險性呢？

最令人擔心的是違反了大自然的法則。生長激素原本在二〇歲之前達到高峰，之後逐漸減少。人工投予的方法，則是強制性的在體內製造出與成長期相同的環境。新陳代謝如同成長期般旺盛的話，肌肉確實較爲結實，多吃也不太會發胖。但如前一本著作所述的，旺盛的成長與快速的老化是一體兩面。在持續使用生長激素的期間，看起來或許年輕一些，但是由基因控制的細胞分裂的極限次數並沒有改變。

還有一個問題，就是現在使用的「人類生長激素製劑」，是使用基因重組技術，以人工方式製造而成的。當然，人類生長激素藥劑都獲得相關衛生單位的使用許可，它的安全性也經由動物實驗得到確認，但是數十年來卻無人追蹤它使用在人類身上的結果。

我認爲只要眞正健康地生活，其實無需勉強實施抗老化措施。

新陳代謝的速度如果合乎自然法則，沒有必要抵抗老化。生物都有各自被賦與的壽命，生物的身體本來就配合壽命，以最佳的速度變化。「老化」也是完成壽命的必要過程。

最佳的抗老化方法就是健康生活

今天，所以會掀起抗老化風潮，我想原因是很多人覺得老化速度比實際年齡快。例如實際年齡二〇幾歲，肉體年齡已四〇多歲，或實際年齡四〇多歲，肉體年齡已超過七〇歲的例子經常可見。

我過了六五歲之後，白髮才明顯增加。但最近很多人才年過四〇就已滿頭白髮。

另外，我每天為許多病人治療胃腸疾病，發現胃相與腸相的衰退明顯超過外貌。胃腸是最早表現身體變化的部位，而且它不會像外表般可以藉化妝或整形來欺騙他人。

身體的老化比實際年齡快，有各種原因，例如過度攝取肉食、吸菸和飲酒等不良習慣、壓力或電磁波產生大量自由基等。食品添加物和農藥等也是加速老化的原因之一。

日本人常向人請教「健康、長壽的祕訣」，但實際上，健康的祕訣不可能只有一個。食物和飲水、生活習慣、精神狀態等各種因素組合，才能塑造一個健康的身體。

不論攝取多麼好的食物，如果生活態度不佳，不可能維持健康。同樣的，即使生活規律而健康，但飲食會危害身體，仍會加速老化。而且，即使是相同的食物，也會因使用的水或食物中所含的成分，對身體產生不同的影響。

很多人一聽聞某種食物對身體有益，就以爲大量攝取這種食物就可維持健康，其實人類的身體絕非如此單純。

適度的運動是維持健康不可缺少的要素，但是過度激烈的運動會消耗酵素，反而對身體有害。

兒茶素、乳酸菌、多酚，這些確實對身體有益。但是持續大量飲用富含兒茶素的綠茶，容易由萎縮性胃炎惡化成胃癌；大量食用含有乳酸菌的優酪乳，會使腸相惡化。有一段時間，很多人聽說紅酒中的多酚對身體有益而每天飲用，但這樣一來，體內必須消耗大量酵素來分解每天攝取的酒精，結果，消耗酵素的壞處遠大於攝取多酚的益處。

適度的運動是維持健康不可缺少的要素，但是過度激烈的運動會消耗酵素，反而對身體有害。保持身體清潔也是維持健康所必須，但過度搓洗皮膚而破壞角質層的話，則會影響皮膚的保護功能，並使免疫力下降。

如前面反覆敘述的，我們人類的身體構造相當複雜，並非攝取某種好的單一食物即可。而且，不論多麼好的食物，如果固執的獨沽一味，甚至可能成為破壞整體均衡的原因。所以，過度攝取、偏食與必要的養分不足等，同樣都有害身體健康。

很多人拚命追求外表的美麗，其實，真正的美麗是從健康的肉體散發出來的。藉著美容整形或錯誤的抗老化手段，雖然外表可獲得暫時的美麗，但若體內沒有改變，問題絲毫沒有解決。

想健康長壽，應遵從自然的法則，考慮身體的均衡，適度攝取對身體有益的食物，同時採取對身體有益的做爲。

下面列出的「七個健康法」，是我爲了幫助病人健康生活，而指導他們採行的方法。

❶正確的飲食
❷喝好水
❸正確的排泄
❹正確的呼吸
❺適度的運動
❻良好的休息與睡眠
❼笑容與幸福感

不論多麼好的食物，如果固執的獨沽一味，甚至可能成為破壞整體均衡的原因。

這「七個健康法」是新谷飲食健康法的基礎，也是酵素治療法的具體實踐項目。

所謂健康的狀態，是指對某一種生物而言，以最理想的速度進行新陳代謝的狀態。因此，健康生活其實才是最佳的抗老化法。

酵素透露的「長壽」與「健康」祕訣

我認爲主宰著健康的，是我們體內的酵素保有量。

體內酵素的量越多，不但新陳代謝能正常進行，體內的解毒功能和免疫系統也能正常運作，防止疾病發生。

我所提倡的「七個健康法」，都是能夠幫助身體補充、活化、防止消耗酵素的有效方法。

身體會出現各式各樣的現象，追究其根本原因，我認爲都是酵素不足所致。不足酵素的種類雖然依發生問題的部位而異，但不論哪一種酵素，都是由奇妙酵素製造出來的。因此，節省體內奇妙酵素的消耗，即可維持健康。

酵素不足與各種疾病的發生和惡化息息相關，是已被現代醫學確認的事實。今天，各個不同領域都在進行酵素的研究，就是基於此項事實。

現在的癌症治療法，以外科手術和抗癌劑的治療爲中心，另外還有放射線照射、免疫療法等方法。抗癌劑治療不但痛苦，也無法期待太大的效果。從惡性腫瘤，亦即癌症，高居日本人死亡原因榜首，即可了解抗癌劑並未達到原來期待的效果。

癌症能否根治，可說主要取決於是否早期發現。若癌症已經相當惡化，利用手術也無法完全切除病灶，或是癌細胞已經轉移，只是依賴抗癌劑，治癒率都不高。

美國正在進行各種新癌症治療法的研究，以減輕病患的負擔，並取代效果不明顯的抗癌劑。其中最受注目的研究之一，就是投予名爲胰酶（Pancreatin）酵素來治療胰臟癌的酵素療法。如同後面「排毒」（Detox）單元中詳細說明的，有報告指出，實施這種胰酶的酵素療法時，同時採取能盡快排出體內毒素，有助於肝臟解毒功能的「咖啡灌腸法」，可提高胰酶酵素療法的效果。

「正確的排泄」是我提倡的七個健康法之一，不要讓毒素長時間滯留在體內，無須解毒就可以節省消耗酵素，不僅限於胰臟癌，罹患任何疾病的人都值得實踐。

本書中所介紹的七個健康法，即使在各種酵素療法當中，也是風險最少的方法。因爲它們都是以自然的法則爲基礎的健康法。上述的胰酶酵素療法，風險已遠低於一般的抗癌劑治療，不過胰酶畢竟是人工製造而成，而且依人類的判斷來投予，或多或少仍然帶有風險。

但我的七個健康法，取自外部的只有自然界生成的食物和水，或接近自然的好水。其次就是注意不要違背自然的法則，養成良好的生活習慣，以改善體內環境。不論酵素的生成或活化，都以對身體最適合的型態運作，因此說它毫無風險絕不爲過。

如果非要舉出一些負面因素，大概就是爲了取得對身體有益的食物和飲水，必須付出較高的成本和比較麻煩而已。但是與生病之後受到的痛苦，以及付出的高額花費相比，相信沒有人會吝惜爲了健康而多付出一些費用。

長壽的祕訣就是防止消耗酵素。

健康的祕訣則是活化酵素，維持身體本來就具備的免疫功能和恆常性。

這些都不是困難的事。理解人類也是大自然的一部分，學習自然的法則，遵從自然法則來生活，便可以期望能夠健康的安度天年。

CHAPTER 2

第二章

解讀酵素的暗號

便祕可能致癌的原因

我最初是以外科實習醫師的身分赴美。

當時美國人的食物以牛排等肉食爲主，因此出現大腸息肉的人相當多（當時大約每十人就有一人長出息肉），每家醫院每天都忙著進行開腹手術，爲病人摘除息肉。

今天，腸子裡生出息肉時，幾乎都會選擇無需開腹手術的內視鏡摘除術，但是三〇多年以前，即使是一公分左右的小息肉，要將它摘除，除了開腹手術之外別無他法。我在美國的貝斯以色列醫院和貝爾維醫院（**Belle Vue Hospital**）實習當時，息肉切除手術即占了所有外科手術的三分之一。

所謂大腸息肉，簡單的說，就是腸子裡生出的蕈狀凸起腫瘤。絕大部分（八〇～九〇％）爲良性，但是當時將鋇劑注入腸內，然後以**X**光來觀察的檢查方法，根本無法確認息肉是良性或惡性。即使是良性息肉，若置之不理，仍可能繼續成長，最後變成惡性腫瘤或癌症，因此當時只要發現直徑超過一公分的息肉，就會盡早施行手術加以摘除。

在此狀況下，腹部外科非常忙碌，外科實習醫師每天都「外借」協助進行手術。尤其是我，由於日本人特有的細心和天生的巧手，更是受到重用，不少外科醫師找我擔任助手，使我的手術經驗遠多於其他實習醫師。在我擔任實習醫師的五年間，我還學習了子宮、攝護腺、肺部、甲狀腺、乳癌、整形等各種外科手術法，可說是非常幸運的體驗。

當時，對於大腸息肉僅採取了手術切除的對症療法，關於原因的探究和預防措施等則付之闕如。因此即使摘除了息肉，仍有許多病人復發，而被迫反覆忍受開腹手術之苦。

飲食習慣是引發息肉的主要原因。現在回想起來，這些病人手術後並未改

飲食習慣是引發大腸息肉的主要原因。病人手術後未改善原來的飲食生活，復發是必然結果。

善原來的飲食生活，復發乃是必然的結果。他們反覆接受開腹手術，肉體和精神都受到相當大的痛苦。

看到病患的痛苦，我一方面努力開發內視鏡切除術，同時深入探討爲什麼大腸息肉如此容易復發。

當時，我之所以會注意飲食習慣，除了食物是最直接的致病原因外，我還發現到美國人的腸子與我所了解的日本人的腸子，有明顯的不同。我在開腹手術中觀察到美國人的腸子，遠比我赴美之前所見到的日本人的腸子厚而且硬。

一九六〇～七〇年代以前，日本人很少出現大腸息肉，主要因爲飲食文化與歐美明顯不同，換言之，可能拜過去「以穀物爲主的飲食」所賜。

以前常聽人說歐美人的腸子比日本人短，而且這種差異是與生俱來的。其實這是錯誤的。我後來從所觀察到的，歐美病患改善飲食習慣後的腸子了解到，他們的腸子原本與日本人同樣長而且柔軟。歐美人的腸子會變硬且短，乃是攝取過多肉食，後天變化而成的。

腸子的長短和硬度，正表現出腸管內部狀態的「腸相」，會因飲食而改變。令人遺憾的，在大約三〇年前仍非常美麗，而且很少出現大腸息肉的日本人的腸子，近年來因爲肉食的攝取量增加，腸相逐漸惡化，不但腸子變短、變硬，生活習慣病也大幅增加。

而且，在爲病患進行各種手術與檢查時，還發現到乍看之下與腸子無關的器官，例如肺臟、肝臟、膽囊、腎臟等出現病變的人，他們的腸相也不太好。

現代醫學依心臟、肺臟、胃、腸、腎臟等各個器官來分類，當某個器官發生問題時，常以單一器官的問題來解決。因此，頭痛醫頭，腳痛醫腳，例如胃黏膜受損，即開出抑制胃酸的藥物，採取非常短視的對症療法。但實際上，**人類身體的所有部位都相互關連，一個部位發生問題，影響可能擴及全身**。

比方說，很少攝取食物纖維和水分而導致便祕的人，糞便中的未消化物質會腐敗、發酵而產生毒素。過去已知這種毒素會使腸壁細胞內的基因改變，形成息肉，並逐漸癌化，但可能很少人知道，滯留體內的糞便產生出的毒素，對全身細胞都會造成不良影響。

眾所皆知，便祕會使皮膚粗糙，長出面皰、青春痘等。這就是腸內的毒素被腸壁吸收，含有毒素的血液送到皮膚後帶來的結果。皮膚粗糙，肉眼可見，但是肉眼無法看到的身體內部，到處都可能生出如同青春痘般的病變。被運送到全身的毒素，若破壞了細胞內的基因，不幸的話即可能演變成各種癌症。

也就是說，看似普通的便祕，也可能在全身引發癌症。

腸相和腸內環境的惡化，並非單純腸子的問題。對腸子有害的因素，對全身都會造成傷害。

忽略小的異常，可能導致重大問題

人類的身體是大約六〇兆個細胞的集合體。因此，所有的細胞都健康，才是眞正健康的身體。

每一個細胞都是能夠補給氧氣和營養、排泄廢物、生產能量的單一生命體。因此，要保持每一個細胞的健康，必須確實的將必要的營養和氧氣送到所有的細胞，並將廢物和二氧化碳排出體外。要完成這個過程，血液、淋巴等體內的體液要能順利流動是非常重要的。

前著中強調香菸和酒是最不良的生活習慣，原因是它們不僅會傷害肺、肝臟等特定的器官，而且會使全身的毛細血管收縮，阻礙重要的血液、淋巴等體液的流動。

吸菸和飲酒成癮後，全身的毛細血管收縮，細胞無法獲得充分的氧氣和營養。養分無法送到細胞，也意味著細胞無法將廢物排泄出來。

更容易了解的比喻就是，**六〇兆個細胞，大部分呈現「便祕」狀態**。就像滯留在腸道內的糞便會對全身造成不良的影響一般，細胞的便祕也可能引發各種問題。

有吸菸和飲酒習慣，且皮膚粗糙、膚色暗沉的人，顯示身體已經發出警訊。因爲，肌膚粗糙或顏色變暗，正是肌膚細胞陷入缺氧狀態，而且是廢物和毒素滯留在細胞內所造成的。

我曾看過許多人的胃相和腸相，**肉眼可見皮膚上出現香菸和飲酒所產生的弊害者，他們胃腸內的黏膜或毛細血管也呈現異常狀態或是出血等變化。會侵襲全身的可怕病症癌症，最初也是從一個細胞的基因發生變化開始的。所以任何小的異常或變化都不可輕忽**。

近年來，沒有任何疾病或死亡徵兆，卻突然死亡的「猝死」案例明顯增加。現代醫學仍不了解猝死的原因，但事實上，健康的人是不太可能突然死亡的。猝死的人，其實細胞的異常或是沒有疼痛或自覺症狀的病變早已悄悄進行。**疾病絕非偶然，也極少沒有任何徵兆而突然發生**。

構成身體的每一個細胞，都在盡最大的努力幫助身體安享天命。但是，它們沒有選擇的自由。它們只能被動的透過生命線——血管，接受人們所選擇、攝取的物質。

不過，這種生命線也可能因為人的選擇而切斷（例如毛細血管的收縮等）。

人們對於肉眼可見的外傷或皮膚表面的異常非常敏感。肉眼無法看見的內臟，若是伴有疼痛等明顯症狀，也會採取治療手段。但是，很少人能夠明確察覺肉眼無法看見，也無疼痛感覺的細胞異常，這也就是所謂的「未病」狀態。

相信大部分人不會在沒有任何病痛的狀態下，盲目的擔心疾病。甚至於在生活中，明知可能對身體造成負擔，仍有一些無法避免的行爲。我年輕時曾做過不少超出身體負荷的事情，直到今天，也遇到不少明知有害健康，仍不得不選擇的事。生活在現代社會中，這是無可奈何的事。

正因爲如此，我們更應該正確了解菸酒在體內會引起什麼樣的變化、過度攝取肉食對細胞會造成什麼負擔、自己的行爲對身體會帶來什麼影響等。

若能清楚了解自己的行爲會在體內發生什麼後果，或可能對體內的細胞造成什麼危害，那麼即使短暫時間超出身體負擔，之後也必能更疼惜自己的身體。如果沒有這種認知，將很難預防或治癒生活習慣病。

罹患疾病，還是健康生活，完全取決於自己的「選擇」，以及是否具備對身體的疼惜之心。

只有自己，能夠疼惜自己的身體。

罹患疾病，還是健康生活，完全取決於自己的「選擇」，以及是否具備對身體的疼惜之心。這是獲得「眞正健康」的第一步。

顯示酵素不足的二〇個警訊

我認爲維護著我們健康的，是體內的奇妙酵素。

體內若有充足的奇妙酵素，身體不致於過胖或過瘦。甚至感染了有害的病毒，也不容易發病，即使發病了，症狀也比較輕微，而且容易痊癒。

生活在相似的環境中，具備相似的飲食習慣，有人生病，有人卻能保持健康，我認爲個中的差異即在於體內奇妙酵素的保有量不同。

我們的生命活動依靠五千種以上的酵素協助才得以進行。隨著基因研究的進步，酵素的種類或許會增至二萬，甚至三萬種。身體內的所有功能，幾乎都與酵素有關。

人類生存所不可欠缺的酵素，基本上是在體內生成。但是身體需要哪些種類的酵素，需要多少的量，以及酵素如何在體內製造等詳細機制，至今依然不明。

如前面所述，根據各種臨床資料，我認為酵素並非各自生成，而是體內先累積相當數量的「酵素原型」（我稱之為奇妙酵素），然後再依身體各器官所需轉換成某種酵素來使用。

這個奇妙酵素理論仍為假說，因此還很難明確說明體內有多少數量的奇妙酵素可以維持健康，或低於多少數量就會生病。

但我們還是很容易就能想像，奇妙酵素的量低於一定程度，雖不致於影響性命，但可能引發某種疾病，如果繼續減少，甚至有演變成癌症之虞。惡性度較高的癌症（例如硬癌【scirrhous carcinoma】），可說就是體內酵素的量非常稀少，同時身體對癌症的免疫力極端降低所引起的。

因此，如何使體內奇妙酵素的量維持高水準，攸關著身體的健康。

但是今天，判斷一個人是否健康時，只能依有沒有生病來粗略區別。因此很多人誤以為沒有發病，就表示自己是健康的。

認為自己健康的人當中，其實不少人因為體內奇妙酵素的量已減至相當程度，而處於「未病」狀態，也就是說，雖然尚未發病，但健康已經受到影響。

現今的醫學還無法以數值來顯示體內的奇妙酵素減少了多少，不過，只要平時多注意自己身體的變化，就能察覺身體發出的警訊。

以下舉出一些酵素過度消耗所呈現的警訊，大家可以藉此機會好好的檢視一下自己的身體狀況。

酵素減少時的警訊

- □ 1 容易感冒
- □ 2 肌肉痛、關節痛、腰痛
- □ 3 持續便祕、腹瀉或糞便有惡臭
- □ 4 皮膚粗糙、容易長出面皰
- □ 5 怕冷
- □ 6 食欲不振、噁心、胃痛

□7火燒心、消化不良、容易打嗝
□8眼睛疲勞、視力模糊
□9頭痛、失眠
□10掉髮、頭髮稀少
□11黑斑、皺紋增加
□12體重增加或是沒有減肥體重卻突然減輕
□13手腳麻痺
□14情緒低落、心情鬱悶
□15注意力降低、容易焦躁
□16沒有耐性
□17容易浮腫
□18容易疲勞、頭暈眼花
□19患有食物過敏、異位性皮膚炎、氣喘等老毛病
□20經常耳鳴

自我檢視的結果如何呢？

很多人一定都有過這些感覺，但相信多半會認爲是「身體疲勞」、「最近工作比較忙」或「年紀大了」等因素所造成，並不覺得健康已經受損。

隨著年齡增加，肉體確實會逐漸衰弱。這是身體自然的變化，但這樣的變

化不會讓人瞬間察覺到，而是以非常微妙的速度進行著。

若是會令人感覺「最近突然……」或「最近特別……」的變化，那就是身體告訴你酵素過度消耗所發出的危險訊號。如果出現上述症狀，最好立即實踐以酵素療法爲基礎的「七個健康法」。相信一定能體會出危險訊號消失，體力明顯恢復的感覺。

攝取「好的基因」

美國酵素研究方面最權威的愛德華豪爾博士，認爲生物一生中能夠製造的酵素的量是一定的。他稱這種一定數量的酵素爲「潛在酵素」，當潛在酵素使用殆盡，生命體也隨之死亡。

豪爾博士的「潛在酵素理論」與我的「奇妙酵素理論」有許多重疊的部

分，我也期待他的研究有更進步的發展。不過兩者之間也有一個很大的差異，就是豪爾博士主張潛在酵素有一定數量，我則認爲「體內奇妙酵素的量，可藉後天的努力來增加」。

依潛在酵素理論，如果年輕時生活不規則而浪費了酵素，即使後悔也無法彌補。之後若想維持健康，盡可能延長一些壽命，只有節約潛在酵素的消耗。

目前以豪爾博士的「潛在酵素有限理論」較爲有力，不過我的臨床資料顯示，攝取能夠補充酵素的食物，養成不浪費酵素的生活習慣，奇妙酵素可明顯增加，換言之，器官功能可獲得改善，並使細胞年輕化。

我在前一本著作中強調「即使現在開始也不嫌遲」，就是因爲我在臨床上確認奇妙酵素能夠增加。

我曾提到，維護我們健康的酵素，主要在兩個部位生成，一是細胞，另一個是腸內細菌。

吃了富含酵素的食物，身體並不能直接吸收和使用酵素，必須先分解為胺基酸，再被身體吸收。

細胞內生成的酵素，原料爲我們每天從食物中攝取到的營養素。因此，想要增加酵素，最好多吃有助於製造酵素的食物。我藉酵素療法指導病人攝取富含酵素的食物就是這個緣故。

當然，吃了富含酵素的食物，身體並不能直接吸收和使用食物中所含的酵素。酵素是蛋白質的一種，必須先分解爲胺基酸，然後再被身體吸收。

相信很多人會問，既然以胺基酸的形態被身體吸收，那麼充分攝取所需要的胺基酸不就可以了嗎？這個觀念是錯誤的。因爲，「攝取酵素」本身具有相當重大的意義。

酵素被分解成的胺基酸，與其他蛋白質分解成的胺基酸，所具備的「資訊」是不同的。

不論任何物質，都一定擁有各自的「資訊」。換言之，將酵素分解成的胺基酸，含有「酵素的資訊」。

酵素雖然被分解成許多種類的胺基酸，然後被身體吸收，但推測它們都具有共同的資訊。因此，體內要生成酵素時，具有相同資訊的胺基酸也較容易重新合成。

這好比拼圖一般。以一幅畫製作成的拼圖，即使分割成許多小片，但仍共同擁有原來繪畫的資訊。藉著這種資訊，即可重新組合成整幅畫。我認爲食物中含有的酵素，在體內雖一度被分解，但很容易重新合成，可說與拼圖的原理相同。

如同世間所有的人都不一樣，所有的胺基酸也各不相同。胺基酸的「來歷」和「資訊」相異，那麼功能也不同。也就是說，**就像人類，每個人的個性、能力都不同一般，胺基酸的「來源」不同，個性和能力當然也相異**。

因此，要獲得擁有酵素資訊的胺基酸，就一定要攝取富含酵素的食物，這點非常重要。

所謂富含酵素的食物，簡單的說，就是「活的食物」。有生物的地方，必定存在著酵素與基因。因此，不論蔬菜、水果、魚、肉等，最好盡可能選擇新鮮和活的食物。

攝取富含酵素的食物，也可說是攝取「好的基因」。根據我過去診察過許多病患胃腸的經驗，我可以體會到這種感覺。

我們體內能夠大量生成酵素的另一個部位是腸內細菌。

與年輕女性談到腸內細菌，當她們知道自己肚子裡繁殖著大量細菌，相信不少人會覺得「噁心」。但事實上，如果沒有腸內細菌，人就無法健康生活。對人類而言，腸內細菌是健康生活不可缺少的「同伴」。

估計人體的腸內細菌可以製造出大約三千種酵素，其中有些是細胞無法生成的。

製造出有益酵素的腸內細菌，一般稱為「益菌」。不過，如前一本書中提到的，腐敗作用強烈的所謂「壞菌」，其實也是能夠將我們體內有害物質盡快排出的必要細菌。因此，重要的是如何改善腸內環境，維持益菌與壞菌的平衡，以營造一個兩種細菌都能確實發揮功能的環境。

我認為，多攝取富含酵素和優良基因的「活的食物」，建立能活化腸內細菌的腸內環境，應可有效增加體內奇妙酵素的數量。

腸子是身體的「第二個腦」

腸子是非常奇妙的器官。

它的功能是獨立的，不受身體的司令塔「頭腦」所支配。例如因爲某種意外造成腦死狀態，或是傳達腦部指令的脊髓受創，腸子依然能夠正常運作，就是最好的證據。

人類的腦部功能完全停止後，通常短則數分鐘，最長也不過數小時，心肺功能會停止因而死亡。這意味著心肺功能受到腦部支配。

但是腸子不同，即使身體呈現腦死狀態，只要藉著醫療院所的維生設備保持血液循環，雖然沒有頭腦的指令，腸子依然能吸收養分，將廢物排出，確實執行它的任務。

腸子的這種「獨立性」，使它被稱爲「第二個腦」。

確實且深刻的理解腸子的功能後，以「第二個腦」來形容它，更覺得貼切與傳神。

例如，蛋白質、脂肪、澱粉等各種成分的食物一起進入腸內，腸子會在瞬間區分這些成分，然後將消化吸收所必要的酵素與數量送至各器官。此時，若有對身體有害的物質，腸子也會將訊息傳達給免疫系統，引起腹瀉，而將毒素排出體外。這種迅速的辨別與因應，顯示出腸子未經過頭腦，本身就能在各種狀況下獨立思考、判斷，然後對其他器官或免疫系統下達指令。

美國的神經生物學家麥可格爾森（Michael Gershon），不久前也提出證明腸子是「第二個腦」的研究報告。他發現腸子裡也有存在於頭腦中的神經傳導物質「血清素」（Serotonin），經過進一步的研究，證實體內所有的血清素，竟有高達九五%是在腸子裡製造而得。

關於這項發現，他在著作《第二個腦——腸子裡也有頭腦》（*The Second Brain: A Groundbreaking New Understanding of Nervous Disorders of the Stomach and Intestine*）一書中，發表了如下的驚人之語。

「或許令人難以置信，醜陋的腸子居然遠比心臟聰明，而且有豐富的『感情』。人類體內，具備自主性神經系統，就算沒有來自頭腦或脊髓的指令，仍然可以引起反射作用的器官，唯有腸子而已。

「人類的進化非常奇妙。我們的祖先從阿米巴狀的單細胞生物開始進化，形成脊椎的同時，在頭蓋和腸子裡，分別發展出具有不同情感的腦。」

我們從「自律神經」能在無意識下控制身體的功能，就可以解讀出「腸子是第二個腦」的意義。

自律神經分爲交感神經與副交感神經兩種，身體在緊張、興奮的狀態下，交感神經會發揮功能，反之，在放鬆的狀態下，則由副交感神經發揮作用。例如，人在運動或是感覺恐怖時，心臟功能活化，就是交感神經的工作，身體放鬆或處於睡眠中，手溫上升，則是因爲副交感神經發揮作用，使毛細血管擴張的緣故。

下表具體顯示自律神經與內臟功能的關係。

交感神經優勢				副交感神經優勢
上升	↑	血壓	↓	下降
擴張	↑	氣管	↓	收縮
加速	↑	心跳	↓	緩慢
鬆弛	↑	胃	↓	收縮
抑制蠕動	↑	腸	↓	促進蠕動

有趣的是，交感神經發揮作用時，血壓、氣管、心跳等功能旺盛，唯有胃腸是在副交感神經處於優勢時積極運作。

我們吃飽飯後感覺想睡，就是身體爲了促進消化，自律神經的副交感神經活化所致。

前面提到腦死時心肺機能會停止，但是胃腸仍能運作，顯示分別受到交感神經和副交感神經支配而活化的器官，與腦支配、腸支配的架構相同。

換言之，心臟、呼吸器官等在交感神經處於優勢時功能旺盛的器官，是受到腦支配，副交感神經處於優勢時活化的器官，則是在腸子的支配之下。

日本免疫學的權威，新潟大學醫學部教授安保徹發現「交感神經發揮作用時，白血球中的顆粒球（Cranular Leukocytes）會活化，副交感神經優勢時，白血球之一的淋巴球會活化」。人體中有六〇～七〇％的淋巴球生存於腸內備用，這與淋巴球在副交感神經處於優勢時會活化，兩相對照下，他的發現相當合理。

我們的身體藉著交感神經與副交感神經反覆交互發揮作用來保持平衡。因此，不論是交感神經或副交感神經，兩者處於優勢的時間過長，都有害健康。

那麼，交感神經與副交感神經如何保持平衡呢？

一言以蔽之，就是「依照自然的節奏，規律而正確的生活」。

日出而作，日入而息，飯後稍事休息。人類自太古以來的數萬年間，一直依照這種自然的節奏過生活。器官的各種機能和免疫系統，也都是在此過程中

不規則的飲食、不規律的睡眠、運動過度或運動不足、超載的壓力等等，都是違背自然的行為。

逐漸形成的。

但是不少現代人的生活卻無視於這種自然法則。不規則的飲食、不規律的睡眠、運動過度或運動不足、超載的壓力等等，都是違背自然的行爲。

現代人容易自律神經失調的最主要原因就在於此。

我認爲人類應該重新體認自己是大自然的一部分。漠視自然的法則，就無法維持健康。

我所提倡的酵素療法「七個健康法」，其基礎正是「依照自然的節奏，規律而正確的生活」，希望大家先有這個正確認知。

基因中蘊藏著「生命的歷史」

我們的身體是由大約六〇兆個細胞和無數常在菌組成的「生命集合體」，

而且，每一個生命都有名為「基因」的生命設計圖。

生命設計圖中則蘊藏著該生命體一代一代傳承下來的「生命歷史」。

我們的基因，從地球上最初出現的單細胞生物開始，先進化為多細胞生物，再進化成魚類等海中生物，之後向陸地發展，成為哺乳類，再進化成猿猴之類的高等靈長類動物，最後演變成人類，基因中蘊藏了長達數十億年的「生命歷史」。

一個受精卵在母親腹中，經過不斷的細胞分裂，變化成人類胎兒的過程，可說就是這種「生命歷史」的重現。之所以能夠重現，則是因為基因中具備了這些資訊的緣故。

基因擁有的資訊，數量龐大得無法計算。

若說人類生存所需的所有資訊，都保存在基因之中也絕不為過。細胞內能夠生成酵素，當然也是因為基因之中藏有「必要酵素之製造方法」的資訊。

不過根據日本基因研究的權威筑波大學名譽教授村上和雄的研究，我們所擁有的龐大基因資訊中，其實只使用了五～一〇%而已。

基因資訊以DNA的鹼基排列方式，存在於細胞核中的染色體內。由名為腺嘌呤（A）、胸腺嘧啶（T）、胞嘧啶（C）、鳥糞嘌呤（G）的四種鹼基排列構成的DNA，呈雙重螺旋構造，各鹼基以「A與T」「C與G」的配對相結合。成對的一組稱爲「鹼基對」，這種鹼基對的排列即稱爲基因資訊，亦即生命的設計圖。人類的基因有三〇億個，就是指這種鹼基對有三〇億個。

大家都知道，電腦所有的資訊都是以「0」與「1」的排列來記錄，基因的資訊也是依四種鹼基的排列方式而不同。鹼基對有三〇億個，那麼四種鹼基的組合幾乎可達到無限。

因此，地球上有那麼多人，擁有完全相同的基因資訊的人，也只有同卵雙胞胎而已。

構成我們身體的大約六〇兆個細胞，都擁有相同的基因。基因相同，意味著擁有的資訊也完全相同。不過，實際觀察我們的身體，卻可以發現骨骼、肌肉、皮膚、指甲、頭髮等，各個部位有著完全不同的個性。

爲什麼擁有相同資訊的細胞，會顯示不同的個性呢？

這裡借用前面介紹的村上教授的話，「指甲的細胞，只有成爲指甲的基因開關爲ON，其他基因的開關幾乎都是OFF的狀態。」

村上教授還說，這種「基因的ON與OFF機能」，並非終身固定，而會隨著各種環境因素或心情而改變（編按：村上教授相關研究，可參考本社出版之《幸福的答案，基因知道》）。

這裡希望大家都能了解的是，這種基因開關的切換，也需要使用酵素。基因與酵素的關係，是非常密切而且複雜的。

不論基因或酵素，還有許多未被人知的部分，但已了解基因擁有酵素製造方法的資訊。不過，要讀出基因所擁有的資訊，卻需要酵素。

這就好比是「先有雞，還是先有蛋」的問題。

關於基因，人類基因組已於二〇〇三年解讀完畢。目前正在進行三萬至四萬個基因的確定作業，但是機能已經被清楚確認的基因，只占了全部的二～三％左右。其餘九七％具備什麼樣的機能，尚未能確認。

或許有人對已確認的比例如此之低感到驚訝。但事實上，有關酵素的機能，已了解的程度也相去不遠。

我們生存所必須的酵素，估計有三千至五千種，它們的機能幾乎都尚未爲人所知。而且這只是人類而已。包括微生物在內，地球上所有的生物都含有酵素，若全部合計，眞難以想像地球上到底有多少種酵素。

我猜想，腸內細菌所製造的酵素，在切換我們的基因開關，或讀取基因資訊上扮演非常重要的角色。

雖然基因和酵素還有許多不爲人知的部分，但希望讀者先了解，製造酵素需要基因資訊，從基因讀取資訊則需要酵素，基因開關的切換更要使用酵素。

基因、酵素、微生物的三角關係

前面籠統的敘述了有關「胃腸」的問題，其實胃、小腸、大腸的機能依部位也有相當大的差異。

胃部最大的機能就是「消化」。胃能分泌名爲胃液的強酸液體，溶化進入胃裡的食物，同時產生蛋白質分解酵素胃蛋白酶（pepsin），將食物分解成容易消化、吸收的型態。但在胃裡只是進行消化，尚未進行吸收。

順便一提，胃裡頭是一個強酸性的環境，而且充滿了蛋白質分解酵素，但是胃本身卻不會被消化掉，原因是胃的內側覆蓋了一層很厚的胃黏膜。因此，罹患萎縮性胃炎等疾病導致胃黏膜變薄時，這種隔離機能被破壞後，胃壁因爲本身的消化作用或其他化學物質而受損，就會演變成胃潰瘍、胃息肉，甚至於惡化成胃癌。

發揮吸收作用的是小腸。小腸的腸管分泌出消化液，將食物分解成腸壁能夠吸收的大小，然後加以吸收。

有趣的是，胃呈現強酸性環境，腸子內部卻是弱鹼性。

身體偏向酸性時，會出現各種問題，原因之一也是小腸的消化酵素未完全發揮功能所致。

從強酸性轉換爲弱鹼性，主要靠小腸上部和十二指腸中的胰液才得以完成。食物從胃部流入十二指腸的一瞬間，強鹼性的胰液流入十二指腸將強酸中和，之後，腸內即變成弱鹼性。如果胰液不足，酸鹼未能中和，腸子的黏膜就會被酸侵蝕而發生潰瘍。

腸內爲弱鹼性，就是因爲在腸子中發揮作用的消化酵素，保持一定的鹼性濃度。身體偏向酸性時，會出現各種問題，原因之一也是小腸的消化酵素未完全發揮功能所致。

小腸的主要功能是消化與吸收。已知消化是藉消化酵素來完成，那麼吸收是如何進行的呢？

負責吸收的，是分布在腸壁上的小突起物「絨毛」。

絨毛高約一公釐。這種小突起，就像地毯的絨毛般，密布在腸壁上。絨毛的表面，還有稱爲「微絨毛」的更細小突起。吸收就是藉由這些細小的微絨毛來進行。

由於小腸內長滿了絨毛與微絨毛，使得小腸內部的表面積擴大了大約六百倍。有人形容，如果將小腸內部完全展開，面積相當於一面網球場。這是包括絨毛與微絨毛的表面積在內而言。

微絨毛上還分布著毛細血管和淋巴管，葡萄糖、胺基酸由毛細血管吸收，脂肪酸和甘油則由淋巴管吸收，然後送至全身。

腸內細菌就棲息在腸內的絨毛與絨毛的空隙之間。它們會分泌消化所必要的酵素，或是加速腐敗以盡快把對身體有害的物質排出體外。

食物從胃部進入腸子時，如何通知胰臟呢？胰臟又如何了解中和酸鹼的胰液的量呢？各種物質混在一起進入，腸子如何辨別不同的物質，來分泌分解這些物質所必要的消化酵素呢？事實上，腸子以什麼樣的機制來進行如此複雜的作業，至今依然不明。我猜測，實現這麼複雜的工作，應該和「細胞與微生物的交流」有關。

棲息在腸子裡的腸內細菌，比腸壁細胞更了解腸內狀態。直接與腸子的內容物接觸，分泌出消化所需酵素的也是腸內細菌。當然，腸壁細胞也會分泌酵素，但是腸壁要分泌何種酵素，分泌多少數量，依腸內細菌的狀態，有很大的差異。而且，體內酵素的保有量和當時身體的狀況，也都會影響身體細胞能夠分泌的酵素數量。

因此，腸內細菌與身體細胞的交流（資訊交換）絕不可少。腸子確實實踐著上述的作業，推測正是腸內細菌與細胞進行交流的證據。

腸內細菌和身體細胞相互提供自己擁有的資訊，不斷進行交流，決定如何分泌最適合當時狀況的酵素，並將資訊送到對方細胞的基因中，最後製造出酵素來。

這種交流並非單純出現在消化吸收上。腸子是最大的免疫器官，控制著免疫系統的，推測也是這種腸內細菌與身體細胞的交流。

當然，單靠腸內的交流是無法收集到關於身體的所有資訊的。

請大家回憶一下，我們身體的各個部位都棲息著微生物。皮膚、鼻腔和口腔、陰道、胃腸，以及與身體外界接觸的部位，都棲息著微生物。這些微生物站在最前線，爲我們收集資訊。我認爲，收集到的資訊會先送到細胞，再從細胞順著血液等「流」，將資訊送到免疫系統的中樞「腸子」，然後將指示送往全身，以維持健康。

也就是說，腸子不僅將營養送至全身，也吸收有關免疫的資訊，並重新分配至全身。

推測基因、酵素、微生物之間進行的「三角交流」，正是掌控我們健康的根源。

「五個流」與「七個健康法」

營造一個基因、酵素、微生物能夠順利進行交流的體內環境，正是我推行酵素療法的目的。

但是如前面所述，胃腸受自律神經的副交感神經所支配，我們是無法以外力來干預胃腸功能的。

那麼，應該怎麼做才好呢？

三角交流要順利進行，運送資訊的「體內的液體的流」保持理想狀態是絕對條件。液體的流包括「血液與淋巴」、「胃腸」、「尿液」、「呼吸」四種。或許有人會問：「呼吸也是水的流嗎？」由於透過呼吸進入身體的氧氣，會隨著血液送往全身的細胞，因此這裡也將它視爲一種液體的流。

這些「流」只要保持良好狀態，即使置之不理，三角交流仍能順利運作。

如何才能改善體內的流呢？

要改善淋巴流，最重要的是食物和飲水。我們常聽說某些食物能讓血液清澈，有些食物則會使血液混濁，但實際上，食物的種類和數量，都會明顯改變血流。若將血液比喻爲上水道，那麼淋巴液就是下水道，因此血流變好的話，淋巴的流自然也能某種程度的改善。

血流與淋巴流最大的差異是，血液藉著具有幫浦功能的心臟送到全身，相對的，淋巴則不需要心臟做爲幫浦。

淋巴流靠的是肌肉的伸縮。若長時間維持同一姿勢，手腳會出現浮腫，這是因為「不活動＝沒有肌肉的伸縮」，使得淋巴液無法順利流動。所以適度的運動對於改善淋巴流非常重要。

與食物同樣能左右血液與淋巴流的，是飲水的品質，以及攝取量和攝取方式。

很多人以為只要口渴時補充水分即可，這是錯誤的。口渴是顯示體內水分不足的緊急警報，因此等到口渴時才喝水已經太遲了。特別是高齡者，體內的水分容易減少，因此定時補充定量的水分是很重要的。

改善胃腸的流，除了食物和水之外，還應該養成良好的排泄習慣。因為，腸子不僅是消化與吸收的器官，還肩負著將體內的毒素與糞便一起排出體外的任務。

將體內廢物排出體外的另一個流是「尿液」。攝取良質的水分與正確的飲食習慣，都有助於改善尿流。**估計健康的人每天的尿液量約一・五公升**。再加上汗水與糞便中的水分，每天應攝取一・五～二公升的水分。

交感神經容易處於優勢的現代人，正確的呼吸是改善胃腸功能，提升免疫力的有效方法。

對於生活不規律的現代人而言，要改善胃腸的流，還得有正確的呼吸與適度的休息和睡眠。

對於自律神經所支配的器官，呼吸是唯一能夠人爲控制的動作。我們在睡眠中，呼吸不會停止，是因爲呼吸器官受自律神經支配，而唯有呼吸可以做暫停、深呼吸等意識性的調節。

前面提到氣管在交感神經處於優勢時會擴張，副交感神經發揮作用時則收縮，相反的，以腹式呼吸使氣管收縮，亦可將交感神經處於優勢的自律神經，切換爲副交感神經處於優勢。緊張或興奮時，做腹式深呼吸能使心情平靜，就是因爲自律神經從交感神經優勢的狀態轉變爲副交感神經優勢的緣故。

所以，交感神經容易處於優勢的現代人，正確的呼吸是改善胃腸功能，提升免疫力的有效方法。

另外，對於上述四個液體的流都有幫助的，是笑容與幸福感。精神能影響肉體已是眾所周知的事，最近更有醫院將「笑容」導入癌症治療上。

雖然已知道笑容和幸福感能提升免疫力，並有助於疾病的治療，但是機制仍然不明。我認爲精神影響身體，是以「氣的流」爲媒介。改善三角交流的五個流，除了前面敘述的四個液體的流之外，另一個就是「氣的流」。「氣」的存在尚未經過科學證明，但如元氣、勇氣和氣功等說法，中國人早就有氣的觀念。

說明冗長了一些，這裡簡單歸納一下。

首先，爲了維護我們的健康，基因、酵素、微生物之間進行的「三角交流」扮演了司令塔的角色。

其次，要使三角交流順利運作，「血液與淋巴」、「胃腸」、「尿液」、「呼吸」、「氣」等「五個流」必須保持良好狀態。

根據我收集的資料，可發現三角交流與五個流具有相互影響的關係。三角交流順利的話，五個流也正常；五個流正常的話，三角交流也可順利進行。

我們無法干預三角交流的進行。但是卻能夠改善五個流。

那麼，如何才能改善五個流呢？本書中介紹的「七個健康法」，就是我根據臨床資料整理出來的。

七個健康法

❶正確的飲食——改善胃腸的流。
❷喝好水——改善全身體液的流。特別是改善血液、淋巴和尿液的流。
❸正常的排泄——改善胃腸、尿液的流，也有助於血液和淋巴的流。
❹正確的呼吸——改善呼吸的流，運送氧氣的血流也能獲得改善，並維持自律神經系統的平衡。
❺適度的運動——改善血液、淋巴的流與呼吸的流。
❻良好的休息與睡眠——調整氣的流和胃腸的流。
❼笑容與幸福感——改善氣的流，對五個流都有正面影響。

也就是說，實踐此「七個健康法」，可改善「五個流」，使三角交流順利進行，結果，便可以保持身體健康。

我們的身體，各個部位都息息相關。本章開頭即提到對胃腸有害的因素，對全身都有不良影響，同樣的，對身體某一部位有益，對全身也有正面影響。

正確的飲食不僅能改善胃相與腸相，還可增加酵素數量。

飲用良質的水，能使全身細胞充滿水分而且有活力，當然有助於三角交流順利進行。

適度的運動能改良全身液體的流；正常的排泄則可以迅速地將對身體有害的物質排出體外，有助於節省酵素的消耗。

正確的呼吸能取得身體能量代謝所必要的氧氣，維持體內節奏與自律神經的平衡。良好的睡眠與休息，不但能防止酵素的消耗，還可促進酵素的生成。笑容與幸福感一方面可以減輕壓力，同時也能改善體內氣的流，並活化酵素。

這些好的循環，會在更大的循環中相互影響。只注意食物，不如同時注意食物和飲水；只改善飲食，不如加上適度的運動。確實實踐所有的健康法，必能使你的身體功能發揮至最高限度。

「人類的身體本來就能做到安享天年。」

實踐了「七個健康法」，相信你能體會到這句話的含意。

C H A P T E R 3

第三章

不易生病的飲食生活

印度人喝恆河的水爲什麼不會生病？

印度的恆河，是印度教徒的「聖河」。

不過，恆河的水實在稱不上清潔。水中不僅含有各種雜菌，在下水道設施不完備的地區，甚至有人將糞便倒入河裡，最近還可以見到工廠廢水直接排入河中。

但因爲恆河被視爲聖河，不少印度人將親人的遺骸拋入河中，他們自己也在河裡沐浴。住在河邊的人，更直接取河水做爲飲水或用來烹飪。

偶爾會有外國人模仿印度人的做法，但幾乎沒有例外的都落得腹瀉的下場。原因是河水中有太多的雜菌。但爲什麼印度人在恆河中沐浴、飲用充滿雜菌的河水卻安然無恙呢？

最主要的原因就是「習慣」。

「到國外旅遊不可飲用生水」已是一般常識，因為人體對陌生土地的陌生雜菌沒有免疫力，很容易傷害胃腸。換言之，印度人已對恆河的雜菌產生了免疫力。

不過即使是身體已經適應的細菌，仍然有一定的風險。畢竟有些地區會連糞便、廢水等全都倒入恆河中。

但為什麼印度人的胃腸沒有問題呢？

推測原因是他們每天攝取了大量「自然的抗生素」。所謂抗生素，簡單的說就是「抗菌藥」。很多醫師開給感冒病人的處方中常可見到抗生素，這是為了防止各種雜菌在病人體內繁殖，亦即避免症狀惡化。（其實，抗生素並不能殺死感冒病毒，抗生素處方的目的僅在於防止症狀惡化。）

抗生素並不能殺死感冒病毒，抗生素處方的目的僅在於防止症狀惡化。

當然，印度人並沒有每天吃藥，而是每天食用與抗生素同樣具有抗菌作用的食品。

所謂「具有抗菌作用的食物」，就是印度人的傳統食物「咖哩」。

咖哩料理中使用了多種具有藥效成分的辛香料和蔬菜。例如，能使咖哩呈現黃色的薑黃（turmeric），對於引起食物中毒的葡萄球菌具有抗菌作用。而大蒜有健胃、發汗、利尿、整腸、殺菌、驅蟲等效果。另外還含有胡椒、胡荽、肉荳蔻、小荳蔻等具有健胃作用的辛香料，以及辣椒、芥茉、生薑等可以促進血液循環，提升免疫力的成分。

也就是說，**印度人每天食用「自然的抗生素」——咖哩，而得以提升免疫力，即使處在惡劣的自然環境中，依然能夠維持健康**。

第一章中曾提及琉球人的飲食文化，琉球人食用大量豬肉仍能健康長壽，主要依靠先除去多餘脂肪的傳統烹飪方式、從石灰質土地中湧出的富含礦物質的水，以及富含酵素的蔬菜和水果的幫助。

這一類的傳統食物中，蘊含著從祖先代代相傳，使當地人得以健康生活的智慧。

蘊藏在傳統食物中的智慧

印度的咖哩和琉球的長壽食材，都是藉「大量攝取好的物質」來維持健康的傳統食物。相反的，世界上也有一些傳統食物是藉著設定某種限制來促進健康，猶太教的「Kosher Food」就是其中之一。

猶太教對食材和烹調方式都訂有嚴格的戒律，信徒只能食用戒律所允許的「Kosher Food」，也就是「乾淨」的食物。

猶太教徒不吃豬肉，另外，貝類、蝦和蟹等甲殼類，章魚和烏賊等軟體動物，病死或以違背戒律的方法宰殺的生物等，也都被排除在「Kosher Food」之外而禁止食用。

猶太教允許食用牛肉，但從放血和支解，到牛肉的烹調方式，都有詳細的規定。

這種「Kosher Food」是根據猶太教的教律「The Torah」（舊約聖經首五卷）所訂，由此教律可以了解，上帝原本是叫人類食用植物的。

創世紀第一章第二九節中，上帝說：「看哪，我將遍地上一切結種子的蔬菜和樹上所結的有核果子全賜給你們做食物。」

「The Torah」記載，上帝允許人類食用肉類，是在諾亞洪水之後（創世紀第九章第三節）。原因是人類雖然以素食較爲理想，但既然已經開始食用肉類，就指導人類安全的吃法。「Kosher Food」對植物沒有任何限制，可說就是最好的證據。

猶太教律對「Kosher Food」的限制，雖爲宗教上的問題，但由內容來看，其實也蘊藏著先人爲取得安全食物所表現的智慧。

猶太教誕生時的以色列，肉食的保存還相當困難。當時已有晒乾和鹽漬的食物，但因爲氣溫甚高，一般的魚貝類和生肉很快就會腐敗。尤其是血液最容易腐敗，推測「Kosher Food」禁止食用未確實放血的肉類，原因就在於此。

交通還不發達的時代，以及食物保存方法尙未進步的時代，能取得的食品相當有限。山中吃不到新鮮的魚類，海邊海風強烈的沙地則無法栽培蔬菜。能夠種植的蔬菜，也依地處寒冷、熱帶、乾燥等地區，或因各地的氣候不同，有極大的差異。即使能夠收成，也會因當地狀況而出現各種問題。爲了克服這些困難，人們運用智慧，不斷改良，代代相傳，就成爲各地的傳統食物。

今天，由於交通網絡的發達，不論在什麼地方，不論哪一個季節，都可以輕易取得來自世界各地的食品。加上保存方法的進步，食品的存放時間也大幅延長。

但是相反的，我們也逐漸失去了傳統食物中蘊藏的先人「智慧」和「食物的珍貴性」這兩個非常重要的元素。現代人大多以美味、想吃、便宜等理由來選擇食物。越是進步的國家，「生活習慣病」越多，我認爲原因就是「欲望」取代了「安全」和「健康」，成爲選擇食物的基準。

越進步的國家，生活習慣病越多， 是因為「欲望」取代「安全」和「健康」，成為選擇食物的基準。

飲食的目的是為了獲得生存所需的能量。享受食物的美味固然重要，但是**如果欠缺「珍惜身體的心」，食物反而可能成為損害健康的原因。**

東洋自古就有「醫食同源」、「身土不二」（身體與環境密不可分）等名言。現代人有必要再一次認真思考其中含意。

從酵素的觀點來決定吃什麼食物

傳統食物中蘊含了偉大的智慧結晶。

但是這些智慧都是在物質與資訊不足的時代，為了健康生活而孕育出來的。我認為像今天這樣物質和資訊泛濫的時代，同樣需要發揮智慧，以配合時代來健康生活。

生存在現代社會中，**需要的不再是「如何處理有限食物」的智慧，而是**

「如何從龐大的物質與資訊中，選擇眞正對身體有益之食物」的智慧。對於傳統食物，也無需照單全收，而應將好的部分導入現今的飲食生活中，讓過去的智慧得以繼續發揚。

現在，我們周遭的物質良莠不齊。單由蔬菜來看，有花費心血，在自然的環境中栽培出來的安全產品，也有靠農藥和化學肥料速成的危險蔬菜。最近還有調查發現，有關飲食和健康的資訊中，甚至有不肖商人使用聳動手法來吹噓的假資訊。

在如此龐大的物質和資訊當中，你是用什麼樣的基準來選擇食物呢？

電視節目或報章雜誌報導，某個村莊因爲吃了某種食物而長壽，這項產品必定馬上在全國熱賣。人們這樣盲目追隨媒體資訊，就是因爲他們心中沒有判斷事物的「基準」。

沒有明確的「基準」，自然就會隨波逐流。

我的基準只有一個，那就是「酵素」。

●是否有助於酵素的增加↓補充酵素
●能否促進酵素的功能↓活化酵素
●是否會消耗酵素↓防止消耗酵素

只要確實把握這三個要點，有損健康的錯誤資訊就不會如此泛濫。我提倡的「七個健康法」（❶正確的飲食、❷喝好的水、❸正常的排泄、❹正確的呼吸、❺適度的運動、❻良好的休息與睡眠、❼笑容與幸福感）就是針對這三項要點，在生活中實踐的健康法。

不論蔬菜或肉類，所有食物都有「生命」

七個健康法中，對身體影響最大的就是飲食。它是維持健康的基本，因此我的酵素療法特別注重正確的飲食。

什麼是正確的飲食呢？

所謂正確的飲食，是指以適合人類身體的方式來調理的好的食物。首先就來談談好的食物。

好的食物有兩個條件。一是「自然」，另一個是「新鮮」。

這裡希望大家銘記在心的是，能夠幫助人類養生的，只有其他生命。不論植物或肉類，所有的食物都有「生命」。

所有的生物，也都需要靠其他的生命來維持自己的生命。

換一種說法，亦即**有生命的食物，才有助於人類養生**。

好的食物必須是「自然」的，因爲只有大自然才能夠孕育出生命。好的食物必須「新鮮」，則是因爲生物體的生命活動停止（失去新鮮）時，生命也隨之消失。

每一個人都是龐大的生命集合體，做爲人類食物的其他生物也是一樣。**不**

所謂正確的飲食，是指以適合人類身體的方式來調理的好的食物。

論蔬菜或其他動物，也都是「生命的集合體」。

集合體的生命活動停止，每一個小的生命並不會立即死亡。比方說，人類所以能夠進行器官移植，就是因爲器官雖然離開原來的集合體，但組成器官的生命仍繼續存在。

不過，離開集合體或培育環境的生命，是無法長時間生存的。

絕大多數的人都認爲「腐敗的食物＝不能吃的食物」，因此常以是否腐敗來判斷食物能不能吃。**但是否腐敗未必等於是否存在著生命**。

食物從其集合體的生命活動停止的那一刻起，開始氧化，而氧化的結果就是「腐敗」。因此，腐敗的食物是沒有生命的，但是沒有腐敗的食物未必就有生命。

日本銷售的食品，包裝上都印有「賞味期限」，意指「食物保持美味的期限」，並非食物腐敗的期限。

隨著時間的經過，食物原本的「美味」也逐漸失去。其實，**這種「美味」才是食物存在著生命的證據**。**換言之，所謂「賞味期限」可說就是「食物生命

的期限」。

那麼，食物的美味和生命到底是什麼？

我認爲就是「酵素」。

酵素本身並不是生物體，但它卻是生命活動不可缺少的物質，沒有酵素的地方就沒有「生命」。我們吃新鮮的食物時覺得「好吃」，我想就是因爲食物中含有酵素的緣故。

例如，吃牛排時，肉的內部烤至半熟程度，一定比整塊牛排烤透要好吃。因爲酵素不耐高溫，因此半熟的肉含有較多的酵素。同樣的，新鮮的水果比罐頭好吃，也是因爲有較多的酵素。

由此可以知道，**我們一般所認識的「食品」，其實可分爲含有酵素的「活的食品」和不含酵素的「死的食品」**。

越是新鮮的食物，所含的酵素越多，食物開始氧化後，酵素也逐漸減少。

不過，現代營養學並未注意到酵素的有無。因爲，不論是含有酵素的新鮮

現代營養學與我的酵素理論，哪一方正確？我相信讀者們傾聽自己身體的聲音後便可以了解。

食物，或是開始腐敗而逐漸失去酵素的食物，卡洛里並沒有改變。**我對以熱量爲中心的現代營養學抱持懷疑態度的最大原因，就在這種「不由生命觀點來看食物的傲慢」**。

我的奇妙酵素理論，目前仍是一種假說。儘管前一本著作引起熱烈的回響，卻也有人質疑此一理論「欠缺科學的根據」。但我是個臨床醫師，而不是學者，因此難免在科學根據上有不夠嚴密的地方。

至於現代營養學與我的酵素理論，哪一方正確？我相信讀者們傾聽自己身體的聲音後便可以了解。

我們會感覺有機栽培的蔬菜比使用農藥的蔬菜好吃，新鮮的食物比腐敗的食物好吃。

爲什麼會有這種感覺？

我們應該再一次思考「生命必須靠其他生命來維持」這句話的含意，懷著感謝與敬意，將食物視爲一種生命。

來自工廠的食品沒有生命

一般所說的食物，依來源可分成三類。第一種「來自大地」，第二種「來自動物」，第三種「來自工廠」。

第一類是大地孕育出來的蔬菜、穀物、水果、海藻、蕈類等食物。幾乎都是「植物」或「植物的種子」，可稱之爲素食。

來自動物的食物包括牛、豬、雞等肉類，以及魚、貝、蝦、蟹等魚貝類，亦即葷食。蛋、乳類等動物所生產的食物也包括在內。

第三類是人類在工廠裡，使用化學調味料、各種食品添加物、精製鹽和精製砂糖、人工甘味等化學物質製造出來的食品。還包括使用這些食品製造的加工食品。

來自大地的東西，只要是能吃的，基本上沒有數量的限制，即使百分之百攝取此類食物也無妨。

但來自動物的食物，攝取過量會使血液混濁，或導致胃相與腸相惡化，因此必須將攝取量控制在一定數量之下。

我認爲人類的食物，來自大地者最少應占八五%，其餘一五%以肉類補充。兩者合計已達一〇〇%，沒有必要再吃來自工廠的食品。因爲**「工廠」製造的食品不具有生命，雖然可供人類食用，但是對養生沒有幫助**。

所以最好不要吃任何來自工廠的食品。

不過對現代人而言，要完全拒絕工廠製造的食品是非常困難的。事實上這也是幾乎不可能的事，連我自己都無法完全避免。

即使如此，我們仍應該盡可能的選擇好的（安全的）植物食用，以增加體內奇妙酵素的保有量，同時，控制肉類的攝取量，以防止酵素的消耗，採取珍惜身體的飲食方式。

穀物的正確吃法

關於飲食的基本，希望大家先釐清認知，我們人類的主食應是「穀物」。

我剛赴美的一九六〇年代，日本人的食物以穀物爲中心。現在聽到「一湯一菜」，常被認爲是貧窮的代名詞，但在以前，菜和湯只是用來搭配主食「白飯」的東西，因此一、兩樣就已足夠。

日本進入高成長期後，原來高價的肉類價格大幅降低，使原來以穀物爲中心的飲食模式崩潰。日本人也從這時期起，肥胖者逐漸增加。

肥胖成爲問題時，首先被攻擊的就是主食「白飯」。白飯是極佳的能量來源，因此被貼上「容易肥胖」的標籤，人們避之唯恐不及。

認爲吃白米及其他穀物會發胖的觀念是錯誤的。如果以穀物爲中心的飲食會發胖，問題應是吃的方法不對。不論米或麥，如果採取適合人類的吃法，絕對不會造成肥胖。

正確的吃法，就是食用沒有經過精製處理的穀物。**例如稻米要吃糙米，麵粉要吃全麥麵粉，蕎麥麵則吃使用全蕎麥粉製成的產品，而非僅使用蕎麥穗的芯製成的雪白產品。**

爲什麼未經精製的產品較佳呢？原因是經過精製後，穀物中原本含有的豐富「生命」也隨之喪失。

穀物是植物的種子部分。因此，將稻米或麥子撒在大地上，會生出芽來，逐漸長成植物。種子就像是能將生命傳給下一代的時光膠囊。一九五一年，偶然在二千年前的地層中發掘出來的三顆古代蓮種子，被埋入土中後，居然生出芽來，而且成功的栽培成古代蓮，這個著名的事實顯示，只要保存狀態良好，即使經過數百年、數千年，種子依然能保持它們的「生命」。

不過，原爲「生命時光膠囊」的種子，若被剝掉外皮，就不能再發芽了。因爲剝掉外皮，就會破壞種子的「生命」。將糙米撒在地上，灑水之後會生出芽來，但是精製後的白米就無法發芽了。我主張以「未精製的穀物」爲主食，意義就在這裡。

再重覆一次，只有生命才能養生。

蔬菜和水果含有豐富的酵素，但是營養價值相當分岐，而且很難保存大量的新鮮產品。相對的，穀物一年雖然僅收成一、兩次，但是能夠長期維持生命，而且可穩定供應。

自有文明以來，人類就栽培穀物做爲主食，最重要的意義，就是穀物是所有食物中最能有效率的攝取其「生命」的食物。

現在的營養學認爲米、麥等做爲主食的穀物中，離胺酸（lysine）等必要的胺基酸不足，必須攝取肉類和乳製品來補充，其實，要攝取必要的胺基酸，未必非動物性蛋白質不可。

東方人以稻米，西方人以麥爲中心，另外再混合各種雜糧類做爲主食，這樣就可以攝取到所有必要的胺基酸。

「食」的基本，就是取得「生命」。因此，以米、麥、雜糧類（稗、小米、玉米、喬麥、藜麥等）等穀物爲主食的飲食生活絕對有其必要。

選擇「未精製」「全麥麵粉」這類穀物

穀物的主要成分，是能量之源的碳水化合物。除了碳水化合物之外，穀物還含有食物纖維、維生素、礦物質、鈣質、蛋白質、脂肪酸等各種人類所需要的營養素。當然也包括可稱爲「生命根源」的酵素。

不過這是指穀物在自然的狀態之下。已失去發芽能力的精製穀物，是無法養生的。

下面來看看未精製的糙米與精製後的白米有什麼差別。

糙米是只除去外殼的米。白米則是除去外殼之外，連表皮（米糠）、胚芽也除去。換言之，白米只是種子用來儲存發芽和生長所需養分的胚乳部分。

有人以爲白米中保留了成長所需的養分就已足夠，其實不然。

因爲，所謂胚乳，就相當於人類身體的「脂肪」。雖然潛在能量的值很高，但是要轉換成能量，還需要酵素，以及能促進酵素功能的維生素、礦物質等輔助酵素。而胚乳中並沒有足夠的輔助酵素。

糙米與白米比較，糙米熱量較低，而且營養素遠較白米多。

稻米原來含有的維生素與礦物質，九五％集中在外側的表皮和胚芽部分。因此，以精製後的白米爲主食，促進酵素作用所不可缺少的維生素、礦物質等輔助酵素就會不足。

白米不僅欠缺營養素，而且因爲消化與吸收較快，血糖值和中性脂肪值容易上升，使罹患糖尿病的風險增加。

糖尿病患者常被限制白飯的量，原因就在這裡。同量的糙米與白米，吃糙米血糖值上升緩慢，糖尿病的風險自然較低。

已經罹患糖尿病的人，若是以糙米取代白米做爲主食，將可以抑制血糖值的上升。

糙米與雜糧類的比例並非一成不變。讀者不妨依個人喜好來搭配副穀物。

精製過的穀物氧化速度也比未精製的穀物快。如同我們皮膚最外側的角質層具有隔離效果一般，穀物外側的表皮部分也可以防止氧化。雖說如此，糙米仍會隨著時間的經過而氧化，保存時最好採取眞空包裝方式，盡可能避免讓米與空氣接觸。

麵粉也可以見到類似糙米與白米的差異。因此，麵粉最好使用「全麥麵粉」，不要使用雪白的精製麵粉。最近，義大利麵、麵包等食品，使用全麥麵粉製作的產品大幅增加。以糙米磨成的粉，與麵粉同樣可做爲食材，它的消化較麵粉慢，而且相當美味。但不論全麥麵粉或糙米粉，由於已磨成粉狀，較容易氧化，應盡可能使用新鮮的產品，開封後要盡早食用。

近來由於掀起天然食品的熱潮，「全麥麵粉義大利麵」、「糙米烏龍麵」、「糙米粥」、「糙米餅」、「全麥麵粉麵包」、「雜糧麵包」等，採用良質的未精製穀物做爲原料的食品相繼問世。

最近相當熱門的食品燕麥片，也是用未精製的穀物燕麥爲原料，除去外皮後蒸熟、壓碎、乾燥而成。燕麥最大的特徵是食物纖維達糙米的三倍，而且含有豐富的鈣、鐵、蛋白質、維生素等。

對燕麥不熟悉的人，聽到燕麥片可能立即想到用牛奶沖泡。如前一本著作中所強調的，牛奶是最好避免食用的食品，因此，燕麥無需與牛奶一起吃。

總之，只要善於應用，以未精製的穀物爲主食的飲食生活並不困難。

煮好吃的糙米飯很簡單

現在人們普遍已認識到糙米是比白米營養的食物。但知道歸知道，以白米爲主食的人還是占了大多數。他們捨糙米而選擇白米的主要原因之一是「因爲糙米硬，沒有黏性，不好吃」。

確實，用一般做法直接將糙米煮熟，沒有白米那樣香軟而且帶點黏性。但是只要稍微下點功夫，就可以克服這個缺點。

我通常都會添加麥片、粳粟、粳黍、莧米（Amaranthus，俗稱雁來紅或紅莧）、粳稗等五種穀物與糙米一起煮，和粟、黍、稗品種不同，加了「粳」字的粳粟、粳黍等較具黏性，摻入這類雜糧一起煮，就能煮出具有黏性QQ口感的糙米飯。

另外，混合蕎麥、薏仁、藜麥等穀物，也可以煮出好吃的糙米飯。讀者不妨依個人喜好來搭配副穀物。（編按：書中推薦的部分穀物，目前國內並無販售，讀者可依照「增加黏性和口感」的原則來選擇市面上販售的穀物，例如黑糯米等。）

糙米與雜糧類的比例並非一成不變。考量各別的營養素、熱量、口感、味道等，我通常採取五比一的比例，以五份糙米與一份雜糧混合。

以前必須使用壓力鍋來煮糙米，但新近開發的，增加糙米烹煮功能的電鍋已相當普及，使用這類家用電鍋就可煮出可口的糙米飯。

下面就來跟大家介紹糙米飯的烹煮方法吧。

煮好吃的糙米飯 Step by Step

❶ 水洗

將糙米與個人愛好的雜糧放入鍋中，用良質的水輕洗一、兩次，無需像白米般淘洗。此時如果用力搓洗，可能使重要的胚芽脫落，因此只要輕輕的，將雜質洗掉的程度即可。

❷ 浸泡

建議使用具有烹煮糙米功能的電鍋，並且使用比電鍋上標示的，煮糙米飯標準水量刻度稍多的水，先浸泡至少三〇分鐘，可能的話，浸泡時間可拉長至兩小時。這時候當然也要使用良質的水。

❸ 加味

我在煮飯之前會先加入半茶匙的天然海鹽。這樣不僅能使糙米飯帶有淡淡的鹹味，而且有助於引出糙米的養分。如後面會詳細說明的，鹽分會導致血壓上升，不少人需控制鹽分的攝取量。但這是指一般的精製鹽，天然海鹽含有豐富的礦物質，不致於使血壓上升。

感覺如何？大家一定會發現，除了浸泡時間比白米稍長外，煮糙米飯並不如想像中麻煩。

現在的電鍋，氣密性頗佳，沒有吃完的糙米飯在電鍋中保溫一天還不致於氧化，可以放心食用。如果超過一天，建議用保鮮膜包好或置入密閉容器，放在冷凍庫中，仍可保持鮮度。

解凍時，建議使用蒸籠來加溫，而不要使用微波爐。這樣不但較為安全，而且糙米飯蒸熱後仍能保持柔軟和美味。如果是要做成炒飯或稀飯，只要讓糙米自然解凍就好。

養成長期食用糙米的習慣非常重要。各位要將**吃白米與吃糙米會造成不同腸相**的想法放在心上，然後配合自己的生活型態來培養習慣，同時依照個人的愛好做適度的調整。

在家裡自製發芽糙米

稍微下點工夫，就可以煮出好吃的糙米飯。不過，要讓糙米飯更爲可口，「充分咀嚼」是非常重要的。

現代人常誤解「柔軟＝美味」。例如美食節目中經常可見來賓吃了一口食物後發出讚嘆：「哇！入口即化，眞好吃。」其實，柔軟的食物未必好吃。

人們逐漸失去了咀嚼的習慣，吃糙米飯時，不妨有意識的增加咀嚼次數，以體會它的味道。相信越咀嚼會越覺得好吃。

而且，充分咀嚼可促進唾液，以及唾液中的回春荷爾蒙（parotin，即腮腺激素）的分泌，並有助於消化吸收，減少體內酵素的浪費。

無論如何都無法接受糙米飯的人，我建議不妨嘗嘗看稍微發芽的「發芽糙米」。

發芽糙米的準備時間比一般糙米稍長，但口感與白米相近，而且沒有糙米烹煮功能的電鍋也能烹煮，因此習慣吃白米的人會比較容易適應。

發芽糙米富含健康效果相當高的胺基酸「GABA」（Gama-aminobutyric acid），成爲備受注目的健康食品。

GABA的正式名稱爲「γ—丁胺基酪酸」，是人類和哺乳類動物的頭腦和脊髓中含有的一種胺基酸，也是神經傳導物質之一。富含於乾鰹魚等食物中，能使食物美味的成分「麩胺酸」（glutamic acid，或稱穀胺酸）具有使神經興奮的功能，相反的，GABA卻能抑制神經，具有安定神經的作用。

「興奮性的麩胺酸」與「抑制性的GABA」取得平衡是最理想的狀態，

但現代人因爲精神壓力等因素，多半傾向興奮。這種均衡受到破壞的話，在精神方面會引起不安和焦躁，在肉體方面則可能導致高血壓或嚴重記憶力衰退、痴呆等記憶障礙。

含有GABA的食品可預防或緩和上述症狀，因此最近極受矚目。發芽糙米含有的GABA的量，達一般糙米的三～五倍。原因是糙米在發芽時，麩胺酸會生成GABA。

最近市面上已有販售發芽糙米，買回家後可以立即煮食，但我並不建議大家使用。因爲我們不了解這些產品使用什麼樣的糙米和水，以及如何讓糙米吸收水分來發芽。

如前面所述，市面上銷售的食品品質良莠不齊。要吃到眞正安全的食物，應在值得信賴的商店，購買清楚標明生產方法的新鮮食材，然後自己烹調。

根據我的調查，有良心的廠商會標明糙米的產地和農藥的使用量，但是還沒有一家廠商會說明使用什麼樣的水和發芽的過程。

只要滿足水分和溫度的條件，糙米一定會發芽。發芽約需一二～二四個小時，雖然要花費一些時間，但使糙米發芽並不困難，因此若打算以發芽糙米做爲主食，我建議讀者使用有信譽的廠商所製造的糙米和良質的水，自己在家裡製作。

超簡單發芽糙米製作法

將糙米浸在水中，自然就會發芽。若希望加速糙米發芽，可使用三〇℃左右的溫水，大約一天就可完成。不過這種方法要維持一定的水溫，在過程中必須多次更換溫水來保溫。

在溫暖的季節，只要將糙米浸在常溫的水中，很容易就可以製作出發芽糙米。有時間但是怕麻煩的人，可將浸在水中的糙米放入冰箱，這種方法不必換水，大約三天時間就能製作出發芽糙米。

不論哪一種方法，水量最好完全蓋過糙米，而且，由於發芽時需要氧氣，因此不可密封。胚芽部分長出大約一公釐的芽就大功告成了。

發芽的糙米晒乾後裝入密閉容器，放置在陰涼處，可以保存一段時間。不過最好還是盡快吃完，以避免其中的「生命」喪失。

有些人將發芽糙米與白米混合烹煮，但我並不鼓勵這種吃法。因爲與白米混合，會破壞發芽糙米的口感。

發芽糙米最好單獨吃，若要混合其他穀物，建議選擇雜糧類，而不要與白米混合。

新鮮食物以生食爲佳

食物的本質是「生命」。有生命的地方一定有酵素。

現在的營養學是根據食物所含的營養素和熱量，來計算需要攝取多少食物。但我認爲生物對食物的需求並非熱量，而是可稱之爲生命根源的「酵素」。

因此酵素療法的基礎，是「攝取食物以獲得酵素」。從食物中取得的酵素能在體內重新合成「奇妙酵素」，使體內奇妙酵素的保有量增加。

所謂有生命的地方一定有酵素，本來是指任何食物都含有酵素。但實際上，我們日常所吃的食物中，有不少是完全失去了酵素的「死的食物」。

酵素爲什麼會失去呢？

有兩個原因。第一個原因是「時間」。

食物越新鮮，含有的酵素越多，隨著時間的經過，酵素漸漸減少。當酵素完全消失，食物也開始腐敗，不但無法養生，甚至有害健康。

會使食物失去酵素的另一個原因是「熱」。

我們常以燒、煮、蒸、炒、炸等各種方式來加熱處理食物，但加熱卻是破壞酵素的主要原因。酵素開始破壞的溫度約四八℃，溫度越高，對酵素的破壞力越大，到一一五℃時，酵素即完全消失。

由此可知，要獲得較多的酵素，生食新鮮的食材是最有效率的方法。

地球上的生物中，只有人類會將食物加熱處理之後再吃。其他生物都是直接吃活的或生的食物。

看到野生動物生吃其他動物，很多人會覺得「殘忍」，其實，生食才是能讓被食者的生命發揮至極的「尊重生命的吃法」。

不論蔬菜、肉類、魚類，生食新鮮的食物是攝取酵素的最佳方法。

我主張限制肉類的攝取量，不過生的肉類中含有酵素，反而能夠節省酵素的消耗。同樣的，生魚片的酵素比烤熟的魚多，新鮮蔬菜的酵素也比加熱過的蔬菜多。

生食的另一個好處，是可以攝取到不耐熱的「水溶性維生素」。

不耐熱的維生素以維生素C最有名，維生素B和維生素H等水溶性維生素的抗熱能力雖比維生素C強，但加熱仍會被破壞。而維生素正是使酵素發揮作用所不可缺少的物質。

也就是說，「生食新鮮的食物」是依循自然法則的最佳酵素攝取方法。

不過生食也有一些必須注意的事情。

首先是選擇「新鮮」的食物。加熱處理可殺死食物裡的雜菌，因此即使鮮度稍差也不致於危害身體，但是生食時，食物裡的細菌也會一起進入體內，因此必須選擇新鮮的食物。

其次是「充分咀嚼」。不論蔬菜、肉類或魚類，生的食物本身含有酵素，比加熱過的食物容易消化。不過最好在口中咀嚼五〇~七〇次，使食物完全嚼爛。

生的食材，特別是魚類身上有時寄生著海獸胃線蟲（Anisakis）之類的寄生蟲，充分咀嚼也可以防止寄生蟲的危害。

充分咀嚼讓唾液與食物完全混合，還可減少胃腸的負擔，幫助營養與酵素的吸收。

水果是大自然的「生命禮物」

含有最多酵素的食物就是「水果」。

只要是新鮮的食物都含有酵素，但含量多寡不一。一般而言，來自植物的食物所含的酵素比來自動物的食物多，其中水果更是豐富。

胃腸在消化吸收食物的時候，也會消耗體內的酵素。富含酵素的食物對身體有益，就是因爲它們能某種程度的補充消化吸收時失去的身體酵素。特別是水果，它們本身含有的酵素，就足以完全彌補，甚至超過爲了消化吸收水果而消耗掉的酵素。例如**木瓜、鳳梨、草莓、奇異果等，就是含有大量酵素的水果**。

此外，香蕉完全成熟後，所含的碳水化合物大部分會變化成葡萄糖，成爲消化酵素含量豐富的食物。

從很久以前開始，人們就習慣攜帶水果探望病人，似乎先人們早就了解水果中的豐富酵素，具有提升自癒力的效果。

爲什麼水果含有如此豐富的酵素呢？

一般食物從胃移動至腸子大約需要二～四個小時，但水果只要三〇分鐘左右就可以到達腸子。

我猜想水果中凝聚了可傳承生命的大自然的睿智。

水果就像包裹著種子的搖籃。它一方面保護著種子，也幫助無法自由行動的植物四處散播種子。

凡是生物都喜歡吃富含酵素的食物。植物或許就是因為如此，所以在種子四周生出含有豐富酵素的果肉，讓動物樂於取食，同時將「傳承生命的種子」送至遠方。

若果真如此，含有大量酵素的水果可說是植物送給動物的禮物，以感謝動物協助散播種子。

水果是很容易消化的食物，一般食物從胃移動至腸子大約需要二～四個小時，但水果只要三〇分鐘左右就可以到達腸子。推測一方面是因為水果本身含有大量消化酵素，另一方面也為了防止重要的種子被胃酸破壞。

沒有被破壞，也沒有被消化的種子，通過動物的腸子之後，與排泄物一起重返大地。在遠離原來植物的地方開始新的生命。

了解濃縮還原果汁的製造過程

水果是酵素的寶庫，最好每天食用。

但是一般人卻沒有正確的將水果帶入飲食生活中。我覺得最遺憾的，就是絕大部分的人將水果當作飯後的甜食。

水果是很容易消化的食物，如果飯後才吃，先吃進肚裡的食物需要較長的消化時間，仍停留在胃腸內，使得水果在胃中的時間增長，導致體內無法有效的攝取酵素。而且，其他食物若在胃中過度發酵，將使腸內的氣體增加，引起腹脹或排氣增加。

所以，**建議水果在飯前或兩餐之間的空腹時食用**。最理想的時間是早餐的三〇~四〇分鐘前。這時，含有果糖、葡萄糖、焦糖等最佳能源之良質糖分的水果，對於長時間未進食的身體而言，是最佳的食物。

水果除了有豐富的食物纖維、維生素、礦物質之外，還含有近年來因爲抗氧化作用而備受注目的「植物化合物」（Phytochemical）。

關於水果的食用方式，還有一點希望大家注意的是，**市售的果汁，即使標示「一〇〇%果汁」，也無法從其中攝取到酵素**。

攝取果汁最好的方法，絕對是自己現做的新鮮果汁。不過果汁很快就會氧化，所以一定要趁新鮮盡早飲用。

市面上標榜一〇〇%的果汁爲什麼不好？主要原因在於這些果汁大多先經過「加熱」處理。果汁通常放在冷藏庫中銷售，很難與「加熱」聯想在一起，但事實上，果汁與牛奶同樣，都要經過加熱處理來殺菌。結果使得標榜一〇〇%果汁的市售果汁失去了酵素。

直接將新鮮水果榨汁然後裝入容器的果汁，只經過一次加熱處理，可能仍保有部分酵素。

但是**經常可見的「濃縮還原」果汁，已完全失去酵素**。

所謂濃縮還原果汁，是先將壓榨出來的果汁加熱，使水分蒸發成爲膏狀，

然後再加入「水」，還原成果汁樣態的飲料。

絕大部分的酵素與維生素，都在煮乾水分的過程中喪失。雖然之後會加入「水」，以還原成果汁，但是幾乎沒有一種濃縮還原果汁標示出使用了什麼樣的水。而且，不論加入多麼良質的水，也遠不及水果中原來含有的水分。因爲，水果會以對本身最理想的形態含有各種礦物質和維生素。

濃縮還原果汁的成分表上，也標示了維生素和礦物質。但是這些並非原本天然的成分，很多都是後來人工添加進去的。如前面所述，加工物質是無法養生的。

但爲什麼這種會使酵素和維生素喪失的製造方法卻被廣泛採用呢？很遺憾的，都是因爲人類爲了節省運送成本的「私欲」所致。除了能減少一些成本之外，這種製造方法可說是沒有半點好處。

但是喜愛濃縮還原果汁的，往往是飯量很少的兒童。相信沒有任何父母會給心愛的子女飲用不含酵素和天然維生素的果汁。

希望大家深刻體認眞正理想，而且能夠養生的，是含有「酵素」的食物，所以要喝果汁最好是在家裡自己做。

我主張「吃完整食物」的理由

以酵素療法為基礎的飲食，還有一點需要注意的，就是要盡可能的「吃完整食物」。

若是穀物就吃帶有表皮和胚芽，沒有精製過的穀物，蔬菜最好連葉子和皮一起吃，水果也盡可能不要剝皮，魚類則連頭帶骨都吃掉。

我主張「吃完整食物」這種吃法的主要理由，是將食物視為一個生命，保持食物的完整才是最均衡的狀態。

例如，水果剝掉皮之後很快就開始氧化、變色。削掉皮的蘋果變成茶色，就是因為表面氧化。但蘋果如果沒有削皮，不論如何與空氣接觸，幾乎不會氧化。原因是水果皮中含有抗氧化物質。

有皮的蔬菜也是一樣，例如茄子、大蒜、馬鈴薯等，豐富的抗氧化物質大多集中在表皮的部分。

因此，不論蔬菜或水果，盡可能連皮一起吃，對身體較佳。

這種吃整體的吃法同樣適用於肉類。

魚乾等食物經太陽晒乾，可說是「氧化的食品」。氧化的食品會在體內產生自由基，基本上不能稱之爲理想的食品。不過，小魚乾可以連同內臟和骨頭一起吃，仍有其優點。

因爲晒乾的小魚經充分咀嚼後，可以攝取到小魚骨頭中含有的鈣、鎂、鉀等礦物質，在消化過程中能中和氧化物質。而且，充分咀嚼使魚肉與唾液混合，也可中和食物產生的氧化作用。

可知，「吃完整食物」可以取得平衡。

小型蝦、蟹都可以連殼帶肉一起吃，貝類的殼雖然不能吃，但是內臟部分

蔬菜或水果盡可能連皮一起吃，對身體較佳。「吃完整食物」可取得平衡。

含有豐富的礦物質和肝醣等，最好不要捨棄。

豬、牛類等大型動物不可能整隻都吃，但是以琉球的傳統吃法爲例，豬的身體從頭到腳都可做爲食材，骨頭也可用來熬湯。雖然所有部位不是一起吃，但仍可說是吃整體的一種吃法。琉球人大量食用豬肉卻能保持健康，或許就與這種吃法有關。

外觀美好的蔬菜可視爲「來自工廠的食品」

「吃完整食物」有一點要特別注意的。

那就是，不但要選擇「新鮮」的食物，更要選擇「沒有使用農藥的食品」。

常烹飪的人可能會發現，最近的蔬菜，有些放太久會變得粘粘稠稠的。以前，蔬菜可能枯萎、腐敗，但是並不致於變得粘稠。

水果則可見到外表完好，切開後才發現果芯的部分已經腐爛。你對於水果從內部向外腐爛，是否覺得不可思議呢？

其實，這些都是「農藥」惹的禍。

使用農藥栽培收穫的作物，一定會殘留農藥。農藥進入體內後，身體必須消耗大量酵素來解毒。

吃完整食物時，特別要注意水果和蔬菜的外皮部分。因爲外皮雖然含有豐富的營養素，但是也容易附著農藥。

糙米與蔬菜、水果一樣。事實上，糙米沒有除去外皮，維生素、礦物質、酵素等都比白米豐富，但也比白米容易殘留農藥。

農藥的最大問題在於會妨礙酵素功能的「酵素阻礙劑」。

爲了節省除草人力和成本而使用的除草劑，也是酵素阻礙劑的一種。爲什麼噴灑了除草劑後，雜草就無法再發芽？原因就是藥品破壞了與發芽、生育有關的酵素。

農藥雖然不致於影響作物的生長，但是作物卻會吸收這些具有毒性的化學藥劑。

農藥汙染大地，棲息在土壤中的大部分土壤細菌都會被它殺死，當然也會危害人體。

很多人都知道「有蚯蚓的土地較爲肥沃」。當然，蚯蚓、微生物等「生命體」能夠生存的大地，才是眞正適合栽培作物的環境。

只有具備生命力的大地，才能孕育出具有生命力的作物。

但是農藥的散布，殺死了大地中具有生命力的土壤細菌。土壤細菌無法存活的土地，就成了沒有養分的貧瘠土地。於是，化學肥料乃應運而生。

化學肥料的代表，是有「肥料三要素」之稱的「氮、磷酸、鉀」。在貧瘠的土地上，將這些肥料與土壤混合，確實能夠促進作物生長。

但土壤中原本含有的「氮、磷酸、鉀」，是土壤細菌製造出來的，相較於化學合成的肥料，就算化學式相同，但是兩者所具有的「資訊」相異，應該視爲完全不同的物質。

所有的物質都帶有「資訊」。

攝取含有酵素的食物，能使體內的酵素增加，就是因爲吸收了帶有酵素資訊的胺基酸。

植物吸收的養分也是一樣。大自然的土壤細菌製造出來的「氮、磷酸、鉀」中帶有大量的「生命資訊」，而工廠製造的化學合成的「氮、磷酸、鉀」則完全沒有生命資訊。

我曾經提到即使同樣都是蛋白質，但來自動物或來自植物，進入體內後的功能則不同，也是因爲所具有的資訊來源不同之故。

使用農藥和化學肥料栽培出來的蔬菜，外觀非常美麗，但我把它們視爲「來自工廠的食品」。原因是它們只有化學藥品的資訊，而沒有生命資訊。

不過，現代社會中要完全排除使用農藥和化學肥料栽培的蔬菜、水果，幾乎是不可能的事。只要外食，必然會吃到含有農藥的食物。

在此現狀下，我們無法也不必急著排除所有使用農藥和化學肥料栽培的蔬

我們無法也不必急著排除所有使用農藥和化學肥料栽培的蔬果，不妨從盡可能選擇有機蔬果開始。

菜、水果，不妨從盡可能選擇農藥較少或購買價格稍高的有機蔬果開始。

有機栽培的蔬果可能因爲蟲害，外觀不夠漂亮，而且價格較高，但如果了解有蟲咬的痕跡才是安全的作物，想法將會有很大的改變。

知道什麼樣的食品眞正安全，什麼樣的食品對身體有益，而且購買的人逐漸增加的話，現今重視農藥與化學肥料的現代農業必將產生變化。預料生產者將會改用有益的微生物，努力栽培安全的農作物。

我習慣吃完全無農藥、無化學肥料的糙米。這種產品雖然價格稍高，但栽培時使用備長炭來淨化水質，利用鴨子除去雜草和害蟲，眞正顧及消費者的健康，若由此來衡量，價格並不算昂貴。

說到這裡，可能有人會反駁：「這樣的話，不是只有富人才能獲得健康嗎？而且，在有機食品的產量仍相當有限的現狀下，也只有少部分的人能享受健康。」

事實上，因爲消費者沒有強烈要求：「我們要安全的食品！」所以生產者才沒有大量製造。**如果消費者一致要求安全食品，相信製造安全食品的生產者**

也會增加。屆時，基於市場原理，價格也將隨之下降。

「溫室蔬菜」缺乏重要養分

我在美國生活了四〇年以上，但是在美國從來沒有見過使用塑膠布搭建的溫室。

經過調查後發現，美國很久以前就有栽培花卉用的玻璃溫室，但是用來栽種農作物的塑膠溫室卻是日本人發明的。

日本的溫室栽培，最初使用的材料是紙而不是塑膠。自一九五三年氯乙烯問世以後，塑膠溫室才被廣泛採用。

塑膠溫室在日本普及，主要原因是能在有限的農地上獲得較高的生產力。在溫室中，生產期可以從初春延長至初冬，栽培出更多的作物。而且，塑膠布還可以防止風雨或害蟲破壞農作物。

溫室栽培看起來有不少優點，但是最近卻發現了一個很大的問題，那就是**在溫室裡栽培出來的農作物，「植物化合物」明顯比露天栽培的作物少**。

植物化合物，是指植物中所含的色素、香味等，過去的營養學並未認定爲「營養素」的功能性成分。

但是近年的研究發現，植物化合物有很高的抗氧化作用，使它搖身一變，成爲能夠提升免疫力，預防各種疾病的「抗氧化營養素」，因而開始受到各界重視。

對植物化合物這個名詞還很陌生的人，或許曾聽過「多酚」（polyphenol）或「異黃酮」（isoflavone）。

因爲富含於紅酒中而爲人所知的「多酚」、使西瓜和番茄呈現紅色的「茄紅素」、大豆的「異黃酮」、綠茶的「兒茶素」、芝麻的「木質素」（lignin）等等，這些都是植物化合物。目前已經發現的植物化合物有數千種，但推測實際種類高達數萬種。

有關植物化合物的研究始於一九八〇年左右，雖然歷史尚淺，但已有報告指出它具有以下許多健康效果。

植物化合物的健康效果

❶ 去除活性氧
❷ 修復受損細胞或基因
❸ 防止癌細胞增殖（預防癌症）
❹ 強化對傳染病的抵抗力
❺ 提高免疫力
❻ 強化記憶力、注意力，預防阿茲海默症
❼ 防止老化

具有這些健康效果的植物化合物，大多含在植物性食品裡頭（有些魚貝類中也含有牛磺酸等植物化合物），而它們的生成過程與「陽光」有密不可分的關係。

植物無法像動物那樣藉自由意志來移動。被強烈的紫外線照射、被昆蟲啃食，都只能在原地默默忍耐。也因爲如此，植物會產生化解紫外線危害的物質，以避免被強烈的紫外線晒傷；或是分泌昆蟲厭惡的物質，以防止蟲害。如此而生成的物質，就是植物化合物。

也就是說，如果紫外線的刺激不足，就無法充分誘發植物化合物的生成。因此，在遮蔽了陽光、風雨、蟲害等外來刺激的塑膠溫室中成長的植物，與能夠充分接受刺激的露天栽培的植物相比較，植物化合物的分泌量也相對較少。

確實，日本溫室栽培的蔬菜，與美國露天栽培的蔬菜比起來，不論顏色或氣味，都遜色不少。

例如黃瓜、青椒、茄子等，美國的產品明顯碩大許多，而且外皮較厚，咬起來非常清脆。萵苣、菠菜等葉菜類，美國生產的葉肉也比較厚，而且富有口感。

吃慣纖嫩蔬菜的人，或許有些人會覺得美國的產品並不好吃。但我認爲，蔬菜本來就應該是如此強而有力的食物。而且，不論營養素或植物化合物，在自然環境中成長的蔬菜都遠比溫室蔬菜豐富。

我們體內也能製造抗氧化物質，但與酵素同樣，由新鮮的食物中攝取，能減少身體的負擔，有助於健康的維持。所以，大家應選擇充分接受陽光照射的健康蔬菜。植物化合物豐富的蔬菜，毫無疑問也是酵素豐富的食品。

有時肉眼很難區別是否爲溫室栽培的蔬菜，但**只要選擇當季的蔬菜，自然可以避免溫室栽培的產品**。

爲什麼食鹽對身體不好？

日本的蔬菜，營養價值有逐年減少的趨勢。

例如，一百公克菠菜的維生素C含量，一九五〇年時爲一五〇毫克，經過五〇年後的二〇〇〇年時，只剩下三五毫克。同樣的，鐵的含量也從一三毫克減至二毫克。

美國的蔬菜營養遠比日本產品豐富，但是仍有「postharvest」（採收後的農藥處理）問題，因此我並不鼓勵食用進口蔬菜。

在此狀況下，即使每天攝取蔬菜，如果分量不夠，維生素、礦物質、酵素，以及植物化合物都會不足。因此現代人必須建立正確的飲食觀念，每天充分補給營養。

我提倡的酵素療法，除了大量攝取蔬菜之外，還建議選擇當季的優良水果，以補充容易欠缺的維生素和酵素。至於不足的礦物質，則以良質的鹽和水來補充。

今天，很多人一聽到「鹽」就會產生自然反應：「我血壓高，不能多吃鹽。」現在的觀念中，鹽已成爲健康的大敵。因爲，鹽雖然是人類不可缺少的礦物質，但攝取過量可能導致高血壓。

其實，會誘發高血壓的是「精製鹽」，亦即一般所用的「食鹽」。根據我的臨床資料，將天然海水以高溫燒煮而成的海鹽，具有還原作用，並不像精製鹽般會引起血壓上升。

將海水的水分蒸發而成的天然海鹽中，非常均衡的含有氯化鈉、鎂、鉀、碘等海中礦物質。但是以「食鹽」之名銷售的精製鹽，是單純的從海水中抽取氯化鈉（NaCl）而成，九九％是純化學物質的氯化鈉。

到十餘年前爲止，日本的鹽仍由「日本專賣公社」所獨賣。這種鹽的專賣制度始於一九〇五年，當時專賣公社所製造的鹽接近天然海鹽，氯化鈉含量超過八〇％的產品僅占二成左右。之後由於各種技術的進步，逐漸製造出氯化鈉的純度更高的鹽。到了一九四七年時，氯化鈉含量超過九〇％的鹽，已達全部的一半以上。

日本人受高血壓所苦，也是從那時候開始。所以有人說，今天部分日本人的「高血壓體質」就是專賣公社製造出來的。

精製鹽有害身體的最大原因是，氯化鈉以外的微量礦物質成分完全被除去

以天然海水高溫燒煮而成的海鹽，具有還原作用，並不像精製鹽那般會引起血壓上升。

了。從這種「少量礦物質成分產生不了什麼作用」的想法，即可感受到人類的傲慢。

大自然是完美無瑕的。以天然形態存在的所有成分，都是因爲有其必要而存在的。

製作過醃漬食品的人想必知道，一般的醃漬物都使用「粗鹽」來製作。因爲，食鹽無法製作出美味的醃漬物。

爲什麼食鹽不行呢？原因是食鹽中添加了鹼式碳酸鎂以防止溶化，導致乳酸菌無法發揮作用。

使有益的乳酸菌無法在我們體內存活的鹽，當然不可能對身體有益。所以，現在廚房中有精製食鹽的人，最好立即將它丟棄，從此刻開始改用含有豐富天然礦物質的天然海鹽。

我推薦南韓和琉球的海鹽這類「還原力高的鹽」。當然並非所有的海鹽都好，只有以高溫將天然海水燒煮而成的海鹽對身體有益。

天然海鹽長時間曝露在空氣中，成分會氧化，產生鹽酸或硫酸等有害物質，因此除了要慎選新鮮的產品外，也要放置在不易氧化的密閉容器中，而且最好盡快用完。

與鹽同樣的，飲用天然的水，也可以攝取到礦物質。

所謂好的水或清潔的水，很多人會認爲是不含雜質的「H_2O」，這是錯誤的。因爲自然界中並沒有純粹的「H_2O」。

天然湧出的良質水，必定含有礦物質成分。因此，飲用天然的水，可補充礦物質。

說到這裡，可能有人誤以爲自來水中沒有礦物質，其實自來水也是使用天然水做爲原料，雖然有地域的差異，但仍然含有礦物質。

問題是，自來水在淨水過程中會加入氯、三鹵甲烷（Trihalomethane）等藥物。如果使用濾水器，只將自來水中的消毒藥物完全去除，自來水也可以成爲良質的礦泉水。

以果汁等飲料來補充水分最不明智

人類的身體大約七〇%爲水分。水分中含有各種營養素和生命資訊等生命體生存所需的物質。養分的運送、廢物的排泄也都是以水爲媒介。我們的身體藉著水分進行全身的循環，因此攝取好的水可以改善血液循環，順利排出毒素和廢物，並活化身體酵素和腸內細菌。

所以我們攝取水分時，選擇良質的水是非常重要的。

我曾調查病患的飲食習慣，發現不少人以茶、果汁、清涼飲料等來補充水分。若要對身體好，這種習慣非改掉不可。水分就應確實的以「水」來攝取。

茶、果汁、清涼飲料中溶解了各種物質，這種水分進入體內後，身體必須將其中的雜質代謝除去。有些像是茶中的丹寧酸、咖啡所含的咖啡因等，甚至必須進行解毒，而消耗掉體內的酵素。

而且，以清涼飲料或果汁取代水，也會攝取到過多的糖分。例如一瓶五〇〇cc的果汁或碳酸飲料，所含的糖分高達三〇～五〇公克。而且溶解在水分中的糖，很快就被吸收，容易使血糖值上升，提高罹患糖尿病、肥胖、低血糖症的風險。

這些飲料偶爾飲用還無妨，但口渴時絕對不可用果汁或碳酸飲料取代水。

喝「水」時，如前面所述般，若直接飲用自來水，水中含有氯等對身體有害的物質，也會大量消耗酵素。

氯在水中會產生大量自由基，使自來水本身帶有強烈的「氧化力」，也是一大問題。

我曾調查過各地的水的氧化還原電位（ORP, Oxidation Reduction Potential, 即氧化力的強度），發現都市的自來水都有很高的氧化力，相反的，郊區天然湧出的「名水」則幾乎都是氧化力低、「還原力」強的水。

若將氧化力比喻為「使東西生鏽」的力量，那麼還原力就是「除鏽，並防止氧化」的力量。

若將氧化力比喻爲「使東西生鏽」的力量，那麼還原力就是「除鏽，並防止氧化」的力量。換句話說，「還原力」強的水，就是具有抗氧化作用的良質的水。

最近市面上已出現不但能除去氯和毒素，而且能利用電解作用使水具有還原力的濾水器，使一般家庭平常也能使用到還原力高的水。

市售的保特瓶裝礦泉水中，也有不少良質的產品。不過飲用這種礦泉水要注意新鮮度。因爲水的鮮度非常重要，即使是還原力強的水，也會隨著時間的經過而逐漸失去它的還原力。

如果每天的飲水全部使用礦泉水，不論是支出的費用和購買時的搬運工夫都是很大的負擔。若選用值得信賴的廠商製造的濾水器，自來水也能安心使用，因此不妨加以活用。

每天飲水的量和時機，在前著《不生病的生活》中已有詳細說明，這裡不再重覆。若想了解詳細內容，請參考前著。

食品添加物真的安全嗎？

最近有一本，曝露日本食品製造業界濫用添加物之內幕的暢銷書《恐怖的食品添加物》，作者安部司曾經是食品添加物銷售公司的業務人員。

這本書中透露，一般日本人每天攝取的添加物平均約一〇公克。一〇公克感覺起來微不足道，但是一年下來累積量可達將近四公斤。

這雖然只是平均值，每個人依選擇食品方式的不同可能有很大的差異，但即使只攝取了一半，也是相當大的數量。

顧名思義，「食品添加物」就是在食品製造的過程中所添加的物質。根據日本食品法的規定，「所謂添加物，是指在食品製造過程中，或是以食品的加工或保存爲目的，添加、混和、浸潤在食品內，或是以其他方法使用在食品內的物質」。

食品添加物可分成以下四大類（二〇〇六年九月版）。

❶指定添加物——厚生勞動大臣根據食品衛生法第十條所定，共有三六一項。

❷既存添加物——有長年使用在食品上的實際成果，經厚生勞動省認定者，有四五〇項。

❸天然香料——來自動植物，以增加香味爲目的所使用的添加物，一般使用量微少，經長年的經驗，被認爲對健康無害者，共有六一二項。

❹一般飲食物添加物——供一般飲食使用的添加物，共七二項。

其中❶和❷幾乎都是「化學藥品」。

我在前著中說「所有的藥都是毒」，化學藥品的添加物基本上也可視爲「毒」。特別是讓食品延長保存時間的添加物，殺菌力強，在體內會殺死重要的腸內細菌，或妨礙細菌繁殖。

當然可能有人不贊同我的意見。因爲添加物都是經厚生勞動省確認其安全性之後認可的。

但是，你知道厚生勞動省是如何檢驗的嗎？

現在採取的檢驗方式是動物實驗。在人道上無法實施「人體實驗」，動物實驗是不得已的方法，但是對於身體大小和構造都與人類有很大差異的動物，僅給予單一添加物來觀察反應的作法不無疑問。

還有一個問題，就是審查期間過短。規定的安全試驗，應反覆給予動物添加物，然後檢驗動物身上產生的毒性，但是目前只有三種檢驗資料，檢驗期間分別為二八天、九〇天，最長也不過一年。**這麼短的期間很難了解持續攝取數年或數十年後的結果**。

另一個值得擔心的問題，是所有檢驗的添加物都是單品。

美國規定醫師不得同時處方四種以上的藥物。因為，藥品的複合使用可能產生意想不到的毒性。

添加物同樣有這樣的危險。使用添加物時，實際上不可能只使用單一物質，而會與其他添加物一起使用。有些產品甚至同時使用了數十種添加物。

複合使用的危險性不僅限於添加物相互之間。以大量農藥和化學肥料栽培而成的蔬菜，再使用添加物；或是餵食人工飼料的動物，肉品中再加入添加物等情形，都非常危險。

厚生勞動省雖宣稱認可的添加物安全無虞，但其中也有不少嚴格限制用量的添加物。會限制使用量，原因當然是攝取過量會發生危險。

還有一個不可忽視的事實，即過去被認可的添加物中，每年都有一些遭到禁用。原因就是過去被認爲安全而獲得許可，後來又發現具有危險性而撤銷使用許可。

所以即使是厚生勞動省認可的添加物，安全性也不能百分之百相信。

事實上就有一些添加物在其他國家已被認爲有毒而禁用，但日本尚未撤銷許可而仍在使用中。

添加物與農藥、化學肥料同樣，不可能立即消失。在現狀之下，每個人只能自己愼選食物。《恐怖的食品添加物》一書的作者用「大家愛用的添加物」作副標題，來諷刺今天的消費者輕忽添加物，並一味追求不易腐敗的食物。我也頗有同感。

如果大多數人拒絕摻有添加物的食品，相信企業也會停止使用添加物。所以，消費者從本身做起是使加入添加物的食物絕跡的唯一方法。

反式脂肪酸的可怕

二〇〇五年二月，美國「麥當勞」宣布製作薯條等油炸食物所用的油，將改用對健康較佳的油品。但到了預定時間並未實施，而且未向消費者公告，結果被告上法院，最後付出八五〇萬美元巨款和解。

麥當勞過去使用的油是「反式脂肪酸」（trans fatty acid）產品，在歐美已引發熱烈討論，認為它會引起高血壓、糖尿病、心血管疾病、癌症等各種健康的危害。

目前歐美已強制規定食品成分表中要標示反式脂肪酸的含量，並禁止超過含一定量的反式脂肪酸的食品上市。

不過日本至今對於反式脂肪酸的危害仍缺乏深刻的認知，也未強制標示含量。反式脂肪酸僅少量存在於牛、羊等反芻動物的體內，在自然界中幾乎不存在。會引發問題的乃是人工製造的反式脂肪酸。

魚油、植物的種子中所含的不飽和脂肪酸，幾乎都以「順式脂肪酸」（cis fatty acid）的形態存在。順式脂肪酸對人體沒有不良影響，但缺點是容易氧化（氧化的話當然對身體不好）。

自然界中存在的油脂類幾乎都是順式脂肪酸，爲什麼近年來人類會遭受反式脂肪酸之害呢？

一般市面上銷售的植物性油脂類，幾乎都是在製造過程中轉變成反式脂肪酸的。

市面上的油品，大多是在原料中加入名爲己烷（hexane）的化學溶劑，利用加熱溶解，抽取其中的油脂製成的。不安定的順式脂肪酸就是在此製造過程中轉變成安定（不易氧化，亦即不易腐敗）的反式脂肪酸。

己烷是富含於燈油、汽油中的甲烷系烴的總稱。己烷中所含的「氫」成分，與不安定的順式脂肪酸結合而成爲反式脂肪酸。

反式脂肪酸由於本身構造已經和過氧化脂質相同，因此不會氧化。過氧化脂質進入體內，會產生大量的活性氧，身體爲了解毒因而必須消耗大量的酵素。

一九九〇年代前半，美國已注意到反式脂肪酸的毒性。一九九四年，消費者擁護科學中心等組織曾要求食品標示是否使用反式脂肪酸，但因爲無法提出毒性和有害量的具體證據而遭駁回。

於是，麵包、糖果、油炸食品，以及人造奶油、豬油等食品製造業和餐飲業者開始廣泛使用含反式脂肪酸成分的油脂類。

一九九九年，許多研究結果出爐，美國食品暨藥物管理局（FDA）也不得不承認反式脂肪酸的害處，於二〇〇三年規定，給予數年緩衝時間後，從二

有報告指出，反式脂肪酸會對腦血管造成不良的影響，並誘發阿茲海默症、帕金森氏症等。

〇〇六年起強制標示含量。歐洲在大約同一時期也掀起了相同的風潮。仍未採取行動的只剩下開發中國家和日本而已。

與「藥害愛滋事件」（編按：一九八三年左右，世界各國的血友病患者因拜耳等藥廠和相關衛生單位的疏失，使用了受到污染的凝血因子，因而感染愛滋病事件）相同，日本厚生勞動省當然知道海外的措施。但如果國民的意識不提高，厚生勞動省是不會自動改善的。

今天，日本大部分的加工食品、餐飲業，仍面不改色的使用著反式脂肪酸。市售的人造奶油、酥油是完全的反式脂肪酸，植物油也幾乎如此。麵包、糖果、沙拉醬等也都是使用反式脂肪酸。

已知反式脂肪酸會增加壞的膽固醇（LDL），同時降低人體必需的好的膽固醇（HDL）。最近還有報告指出反式脂肪酸會對腦血管造成不良影響，並誘發阿茲海默症、帕金森氏症等。

那麼該怎麼辦才好呢？

最重要的是民眾必須產生自覺，共同向政府要求改善。另一方面，選用沒有反式脂肪酸的產品。

目前最能減低反式脂肪酸危機的，是未使用己烷等氫添加溶劑萃取出來的「菜子油」、「大豆油」、「橄欖油」。

歐美市面上已有不含反式脂肪酸的人造奶油，但日本還沒有這種產品，因此最好避免使用人造奶油或豬油製作的食品。奶油的害處雖不若人造奶油嚴重，但還是含有反式脂肪酸，也應盡可能避免。

現在已知攝取維生素E能防止反式脂肪酸的危害。維生素E也可藉藥劑攝取，但應慎選有信用的廠商的產品。

綠黃色蔬菜、芝麻、豆類，以及杏仁和花生等堅果類，也含有天然狀態的維生素E，在食用含油食物時，一起攝取這些食品，可大幅減輕反式脂肪酸的危害。

電磁波對人體有害，因此，微波爐、電磁爐等會向外釋放電磁波也具有危險性。

微波爐的潛在危機

很多人漸漸注意到「食的危險」，但這種危險不僅限於食物。其中之一就是微波爐。

今天，微波爐已經普及至每個家庭。微波爐可以在短時間內加熱食物，對現代人而言可說是非常便利的家電用品。

但是卻很少人知道它的潛在危險。

簡單說明一下微波爐的構造。微波爐能產生超短波的電磁波，照射被加熱物，使被加熱物內部的水分子振動、加溫。也就是說，利用電磁波使食物中的水分子劇烈振動（每秒約二萬次），使食物從內部加溫。

電磁波對人體有害的事實已廣爲人知，因此，微波爐、電磁爐等會發生電磁波的用品，向外釋放的電磁波也具有危險性。

不過，我在這裡舉出微波爐的例子，並非微波爐外洩的電磁波有危險，而是使用微波爐加熱的食品本身具有危險性。

有一個實驗可以實際感受到這種危險性。

將微波爐煮沸的水與普通茶壺煮沸的水灑在相同的植物上。結果，接受經微波爐加熱過的水的植物數天後即枯萎。最近網路上也可以看到附有照片的相同實驗。

這個實驗結果顯示，用微波爐加熱的食物失去了「養生」的能力。

微波爐使用的微波，是放射線的一種。放射線已使用在臨床醫療的「放射線治療」上，一般人認爲只要方法正確，不致於太可怕，但是可確保安全的放射線治療，還是有強烈的副作用。

能夠在短時間快速加熱，是微波爐最大的優點，但是爲什麼能在這麼短的時間內加熱呢？它的原理是在物質內部產生極高速度振動，這種速度在自然界中是不可能的。物質的細胞和基因無法保證，能夠對抗這種自然界中不可能出

加熱食物時採用蒸或煮的方式。雖然稍微費時，但食物比使用微波爐加熱來得柔軟而且好吃。

現的狀態。如同放射線汙染會破壞基因一般，受到微波照射的食物，基因也可能受傷。

目前，很多國家都在進行微波爐的食品安全研究，但尚未獲得明確的結果，當然也還沒有安全的保證。

現階段能夠肯定的是，食物用微波爐加熱後就會失去酵素。在安全性沒有獲得確認之前，我建議大家不要使用微波爐烹調食物。

我自己家裡也有微波爐，但是極少使用。要再加熱食物時，大多都採用蒸或煮的方式。雖然稍微費時了點，但蒸、煮加熱後的食物比使用微波爐加熱來得柔軟而且好吃。

燒或煮也會失去酵素，不過單純被熱破壞的酵素，與分子層次受到損傷的酵素相比，我認爲兩者的「資訊力」是不同的。

肉眼看到的結果並沒有改變，確實讓人很難感覺到微波爐處理過的食品會有什麼危險，但這的確是個值得思考的問題。

白砂糖是「可怕的食品」

大家在家中使用什麼樣的砂糖？

用純白色的上等白糖烹調食物，能增加色澤和口感，相信有不少人愛用。但事實上，白色砂糖卻是會傷害人類身心的可怕食品。

前面提到精製的食鹽對身體不好。因爲它失去了原本自然狀態下應含有的微量營養素，「白砂糖」也有相同狀況。

一般所說的砂糖，其實有很多種類。

甘蔗榨汁、加熱而成的是「黑砂糖」。再分離成結晶與蜜糖，精製成爲結晶純度較高的「精製糖」。精製糖還可分爲「精製細砂糖」、「砂糖」、「加工糖」。我們平常使用的「白砂糖」和「三溫糖」（編按：褐色，精製度比白糖低，類似台灣的紅砂糖）都包括在精製細砂糖內。砂糖又有「粗砂糖」、「細砂糖」之分，加工糖則包括「方糖」、「冰糖」、「糖粉」等。日本高級點心所用的「和三盆糖」，是以日本古法製成，不包括在一般的精製糖內。

大多數人並沒有特別注意到各種砂糖的差異，但若仔細比較它們的成分，即可發現有很大的不同。

你如果愛吃甜的果汁或糖果，是否曾經被罵過：「吃太多甜的東西，骨頭會溶化！」

其實這是眞的。

白糖攝取過量，體內的鈣質會流失。

原因是白糖爲酸性食品。以最簡單的方法製成的黑砂糖原是弱鹼性食品，但在精製過程中，微生素、礦物質等微量營養素流失，使得砂糖成爲酸性。

人類體內基本上爲弱鹼性。若攝取大量酸性食品，體內必須使用礦物質來中和酸度。這時消耗最多的就是鈣質。由於白砂糖幾乎不含鈣質，爲了供應身體所需，就必須溶解骨骼和牙齒的鈣質來供應。

這就是甜食攝取過量容易發生蛀牙或骨質變弱的道理。

問題還不止於此。

人類體內鈣與磷的比例以一比一最爲理想，但若爲了中和體內酸鹼度而使用過多鈣質，這種均衡就會被破壞。

人類體內的鈣約占體重的二％，其中九九％在骨骼和牙齒中。其餘一％在血液和細胞內，但如果少了一點點（一％中的一％），人類就會變得焦躁或心理失去平衡。

人覺得焦躁時，吃鈣質豐富的小魚乾可以改善情況，就是這個原因。

而且，人體吸收糖分的速度非常快，會使血糖值急速上升。體內因此而分泌大量胰島素，體內平衡（homeostasis）機能不完全的小孩容易引起低血糖。低血糖如果長時間持續，身體就會放出腎上腺素，來使血糖值上升。

腎上腺素爲神經傳導物質之一，是興奮時會大量釋放至血液中的荷爾蒙。它在提高能量的代謝方面有很好的效果，但如果釋放過量，會影響頭腦的控制功能，成爲行爲反常的原因。

我建議使用黑糖、蜂蜜、天然楓糖等，富含天然礦物質的良質糖類來取代白砂糖。

美國人會避免給小孩過多糖果等甜食，以防止出現「Sugar High」（吃糖後的興奮感）現象。攝取過多含糖甜食的小孩，會變得「注意力不集中、思考力減退、沒有耐性、容易急躁」，在美國已是普遍爲人所知的常識。

有人說最近的小孩「行爲容易反常」，我認爲原因之一就是攝取了過多精製糖所造成的。

而且，糖類在體內分解時，會消耗維生素B_1，但是白砂糖卻幾乎不含維生素成分。因此，維生素B攝取量不足時就會引起維生素B缺乏症，出現疲勞、眼花、貧血、憂鬱、沒有耐性、記憶力減弱等症狀。

由此不難了解白砂糖是多麼可怕的食品了吧！

砂糖不僅使用在糖果類和每天的食物中，還大量使用在市售的飲料中。一瓶五〇〇cc的碳酸飲料，糖的含量即高達大約三〇公克，而一個人每天健康飲食所需的砂糖量不過二〇公克而已。

也就是說，即使家庭中不使用任何砂糖，每天只要喝一瓶保特瓶裝的果汁飲料，砂糖的攝取量就已過多。所以，不但家庭中應減少砂糖的使用，市售的含糖飲料也應少喝。

我建議以黑糖、蜂蜜、天然楓糖等，富含天然礦物質的良質糖類來取代白砂糖。

「白色食物」是不利健康的食品

閱讀到這裡，不知大家有沒有注意到不好的食品有一個共通點？精製穀物、精製鹽、精製糖……。沒錯，對身體不好的，幾乎都是經過精製的「白色食品」。

食品在精製的過程中失去了它們的自然性。也就等於失去了它們的「生命」。因爲，越是天然的食物，越是具有生命力的好食物。

但也有一些沒經過精製，仍然適用於「白色食品＝對身體不好的食品」，那就是「漂白」過的食品。

很多人喜愛白色而且看起來美麗的食品。因此商人們常將新鮮度下降、因氧化而顏色變深，或在天然狀態下顏色不夠美麗的食品漂白後出售。

例如市售的蒟蒻、魚板、魚丸、竹筍等，很多都是原來並非純白色，而是利用藥品漂白的食品。

漂白時使用的漂白劑爲化學藥品。而且，幾乎所有的漂白劑都含有殺菌成分，因此吃了漂白過的食品，可能傷害腸內細菌。

從砂糖的成分表可以發現，顏色較深的產品中微量營養素的含量較爲豐富。同樣的，好的鹽也不是純白色。另外，豆腐的自然顏色爲淡黃色，糙米、雜糧類也都帶有顏色。

自然界中並沒有純白色的食物。蘿蔔雖爲白色，但若由整體來看，它的葉子部分是綠色的。

所以，我們無需費神思考，也不必一一調查成分表，只要避免純白色的食品，在呈現天然顏色和天然形狀的食品中，選擇最新鮮的，自然就可以排除對身體不佳的食品。

基本上，未經過人類處理的新鮮食品，可說是對身體有益的食品。不過也有例外。經過人工處理，也能製作出對身體有益的「活的食品」，其中最具代表性的就是「醱酵食品」。

所謂醱酵，是指利用酵母等菌類或乳酸菌等細菌的作用，分解有機化合物，生成酒精、有機酸或碳酸氣的過程。這種醱酵的過程，其實與腐敗相同。也就是說，各種腐敗的狀況中，對人類有用的狀況稱之爲「醱酵」，藉以與腐敗區別。

醱酵食品能成爲「活的食品」，主要靠「微生物」的幫助。如同我們身體的腸內細菌能製造大量酵素一般，醱酵食品所用的微生物也能產生酵素。由於醱酵食品含有豐富的酵素，因此稱之爲「活的食品」。

世界上到處都有醱酵食品。例如優酪乳和乳酪是乳酸菌使牛奶醱酵而成，韓國泡菜、醃漬的小魚、味噌、醬油、納豆、醋，以及用米糠醃漬的醬菜等都是傳統醱酵食品。日本清酒、葡萄酒、啤酒等酒類也是利用醱酵釀成的。

醱酵食品有一點必須注意的，就是並非所有的醱酵食品都對身體有益。

那麼要如何區分醱酵食品的好壞呢？

有兩個方法。一是判斷原料爲肉類還是植物。以植物爲原料的醱酵食品，幾乎都對身體有益。

例如以大豆爲原料的味噌、醬油、納豆等都是含有豐富酵素的有益食品。使用含有豐富微量元素的米糠製成的醃漬食品，也有助人體吸收微量元素。

優酪乳和乳酪被很多人視爲健康食品，但就如同前一本著作中所說的，它們是以牛奶爲原料，愛吃的人偶爾少量食用無妨，但是我建議每週最好不要超過兩次。

醃製的魚、貝類食品，雖以動物爲材料，但只要不攝取過量，不致於有太大的問題，而且能補充酵素。

另一個方法是看食物是否含有酒精成分。

啤酒、葡萄酒、清酒等分別以小麥、葡萄、稻米爲原料，但是因爲含有醱酵而成的酒精，進入體內後，身體必須消耗酵素來分解酒精，所以不算是好的食品。

醋也是用穀物製成，但酒精成分在製造過程中完全被分解，食用後並不會消耗酵素。

購買醱酵食品，特別是購買醬油和味噌時，絕對不可選擇有「減鹽」標示的產品。

一般人都相信攝取過多鹽分會導致高血壓，因此標示「減鹽」的調味料被誤認為是「有益健康」的產品，而大受消費者歡迎。不過，含有適量鹽分的醬油和味噌較不容易腐敗。反之，減少了鹽分會使得食品容易腐敗。

容易腐敗的產品當然銷路不佳。應運而生的就是「防腐劑」。**標榜減鹽的產品，幾乎都使用了「防腐劑」**。食品有沒有使用防腐劑？比如看醬油和味噌有沒有發霉就可以知道。**夏季時沒有冷藏卻不會發霉的醬油和味噌，一定使用了防腐劑**。

自古以來大家都知道醬油或味噌的霉是無害的。長霉時，只要將霉的部分除去，仍可繼續使用。不會發霉的醱酵食品，才是沒有生命力的「死的食品」。

若使用真正良質的鹽，以傳統手法醱酵製成的醬油或味噌，即使鹽分較多，也絕不致於引發高血壓。

醱酵食品是蘊含了人類智慧的「活的食品」。值得大家適量的帶進每天的飲食中。

可取代優酪乳、牛奶、人造奶油的食品

讀者對我的上一本著作，詢問度最高的就是：「我們已了解乳製品和肉類對身體不佳，那麼應該吃什麼東西呢？」

例如以前每天早上吃麵包塗人造奶油的人，就感到疑惑，不知道該用什麼來取代人造奶油。

對於讀者的反應，下面我就來談談如何選擇這些食品。

改變飲食習慣 Step by Step

麵包塗醬

首先看看可取代人造奶油的食品，一般奶油也是來自動物的反式脂肪酸，最好避免使用。**我建議改用蜂蜜、楓糖和良質的花生醬**。用芝麻和南瓜子做成的醬，只要注意避免氧化，也是屬於順式脂肪酸，以及能夠攝取到維生素、礦物質的良質食品。

愛吃果醬的人，則可以自己製作不使用白砂糖，並控制糖分的果醬。

使用這些產品時，可用小器皿取出適量來使用。很多人常將產品容器的蓋子開著，邊吃邊塗，這樣容易氧化，最好避免。收藏時應注意密閉，並盡量減少蓋子的開閉，這樣可以防止氧化。

品質好的蜂蜜和楓糖價格較貴，有不肖商人混入糖類製作廉價的仿冒品，因此購買時要看清標示，選擇品質良好的產品。

沙拉醬

我建議避免購買市售的成品，最好自己製作。因為，購買成品雖然可以節省時間和金錢，但是一定含有添加物和防腐劑。

我自己經常製作昆布汁口味的無油沙拉醬。

做法非常簡單。在濃郁的昆布汁中加入純釀造的料理酒與巴薩米可陳年醋（編按：義大利巴薩米可【balsamico】地區以傳統釀造法製成的葡萄醋）混合而成，味道非常可口，值得大家一試。

另外，可以先用柴魚汁與醬油製作基本的「醬油沾料」，然後加入芝麻粉做成「芝麻醬」，或是加入生薑、大蒜、蔥花等做成「香味醬」，也可以加入豆瓣醬做成「麻辣醬」。依個人喜好自由調整應用，相當便利。

牛奶和優酪乳的替代物

牛奶和優酪乳都是來自動物，含有過氧化脂肪的食品，會使腸相惡化，應盡可能避免。特別是有「乳糖不耐症」的人，體內幾乎沒有分解乳糖的酵素，更要避免飲用牛奶和優酪乳。

來自植物的豆奶是牛奶的最佳替代品。原來使用牛奶製作的湯類或焗烤等食物，都可以改用豆奶。

若是特別喜愛牛奶而非喝不可的人，則最好避免經超高溫殺菌和均質化的牛奶，而且一、兩週喝一次就好。

優酪乳含有豐富的乳酸菌，因此很多人相信它對胃腸有益，但是身為胃腸內視鏡外科醫師的我，根據過去診治過無數人的胃腸的經驗，我抱持完全不同的意見。

經常飲用優酪乳的人，腸相幾乎都不好，所以我很難同意優酪乳對胃腸有益的說法。

若要攝取乳酸菌，我建議食用自己製作的糠漬食品、韓國泡菜等，利用乳酸菌製成的發酵食品。

酷愛優酪乳的味道和口感的人，我推薦使用豆奶製成的「豆奶優酪乳」。

攝取肉類有訣竅

若能將肉食在整體食物中所占的比例控制在一〇～一五％，就不必太過擔心。有人可能不了解所謂一五％到底是多少，粗略計算，大概是每天約一〇〇公克左右。

不過，各種肉類所含的脂肪成分性質不同，利用「魚貝類」來攝取，優於牛、豬、雞等「肉類」。食用體溫比人類高的動物肉類之後，用顯微鏡觀察血液，有時紅血球會呈現凝固狀態，並持續達五、六個小時至十二個小時。因此，患有高血壓、高血脂症、糖尿病、肥胖等症狀的人，最好選擇魚貝類爲肉食來源。

而且，基於「吃完整食物」的觀點，魚貝類也較容易連頭帶身一起吃。

小魚、小蝦含有鈣質等豐富的礦物質，是非常好的食品。特別是發育中的小孩和懷孕的女性，容易鈣質不足，最好每天積極攝取。另外，海藻類也是值得每天吃的食品。

沙丁魚、香魚、鯖魚等的幼魚，即俗稱的吻仔魚，就算是怕刺而討厭吃魚的小孩相信也能接受。有些晒乾的魚類令人擔心「氧化」問題，但如果整個身體一起吃，食品所含的鈣質能中和氧化，並抑制活性氧的產生。乾海參或稍大型的魚乾，則可將它磨碎，加在湯裡或摻入炒飯裡一起食用。

鰹魚、鮪魚等紅肉的魚類，鐵質非常豐富，對身體有益，但也比較容易氧化，必須特別注意新鮮度。首先，**盡可能購買整塊的肉，要做成生魚片，最好吃之前再切成小塊**。賣場中也有切好的生魚片，但魚肉與空氣接觸的時間很長，有氧化的可能，我並不鼓勵購買。切魚肉時，建議將周圍與空氣接觸到的部分切除，雖然有些浪費，但可確保食物的安全性。

很多人以爲墨魚和章魚的膽固醇含量很高而敬而遠之，其實這是誤解。墨

鯖魚含有DHA、EPA等不飽和脂肪酸的良質魚油，是很好的食物。

魚和章魚所含的是名爲「固醇」（Sterol）的成分，與所謂的壞膽固醇是完全不同的兩種物質。

不僅如此，墨魚、章魚、蝦、蟹，以及貝類中含有豐富的「牛磺酸」（taurine），這也是一種胺基酸，可降低血液中的膽固醇。不過，**墨魚和章魚的肉非常強韌，在調理時最好切成小塊，吃的時候也請充分咀嚼**。

鯖魚則是含有DHA、EPA等不飽和脂肪酸的良質魚油，也是很好的食物。這些魚貝類的內臟還含有維生素、礦物質和豐富的酵素，購買時應盡可能選擇新鮮的食材，而且最好連內臟一起吃。

肉食單靠攝取魚貝類就已充分，但還想吃一些肉類乃是人之常情。因此，我在指導病患飲食時，會建議他們每個月控制在一、兩次左右，並非完全不可食用。

但是一般肉類的風險比魚貝類高，因此選擇食材時要非常謹愼才行。

首先，重要的是選擇新鮮而沒有氧化的食品。爲了吃到沒有氧化的肉類，與魚類一樣，應該購買整塊的肉，烹調之前再切成小塊。

如果自己不擅長切肉，那麼可以當面請店家代爲切割，而且最好當天就吃完。在美國購買肉品或火腿等加工食品時，選好之後請店家當面切割是相當普遍的做法。

這種當面請店家代爲切割的方法，不但可以防止氧化，同時還有另一個很大的優點，那就是能防止添加「防腐劑」和「著色劑」。

超商等銷售的切片肉類，都呈現非常美麗的顏色。這些肉品在店裡陳列了相當長的時間，爲什麼不會變成茶色呢？原因是在包裝時噴灑了某些添加物。

買回已切片的肉品，使用時打開一看，表面顏色非常美麗，但是重疊的部分，壓在下方的肉片卻已變成茶色。相信很多人都有這種經驗。這是因爲被蓋住的部分未噴灑到防腐劑或著色劑的緣故。

表面部分與空氣接觸較多，原本比較容易變成茶色，疊在下方的部分應保持美麗的紅色才對。結果正好相反，原因就是表面噴了添加物。

其次也很重要的是，肉類來自什麼動物和如何飼養。

有一個觀察指標，就是肉品的「價格」。

以牛肉爲例，太便宜的肉品很可能使用了防腐劑和著色劑，最好避免。但是不要誤解，我並非鼓勵大家選用松阪牛或神戶牛等高價的肉品。主要目的是希望大家注意牛隻的生活是否健康。

低價牛肉大多是飼養在狹小的牛舍裡，缺乏運動，而且被餵食沒有生命力的飼料。在狹窄的牛舍中，最令人擔心害怕的就是牛隻生病，因此常使用抗生素。這種肉品若再使用添加物或著色劑，那麼簡直不能稱之爲食品。

飼養動物最理想是採取自然放牧的方式，食用未施加農藥的牧草。這種牛肌肉發達，肉質或許稍硬，但若能充分咀嚼，卻是對身體最有益的肉食吃法。

「飢餓」是健康的晴雨計

除了選擇良質的食物之外，養成「規律的飲食習慣」對於維持健康也非常重要。

說到規律的飲食，很多人都以爲是「早上七點吃早餐，中午十二點吃中飯，下午三點爲午茶時間，傍晚六點左右吃晚餐」，如此按照時間來進食。

這種方式整體而言並不能說不好，但理想的做法應該是「眞正感到飢餓時再進食」。

還沒有感到飢餓，只因爲時間到了就吃飯，絕不是好的做法。

如果胃腸健康，飯後經過三、四個小時，食物就會消化，並產生飢餓的感覺。因此，**健康的人並非在固定的時間進食，而是大約在相同的時間產生肌餓感，然後自然養成規律的飲食習慣**。

如果在胃部應該已經空了的時間，仍完全沒有飢餓的感覺，那麼胃腸一定衰弱，換言之就是酵素不足。

尤其是上午醒來時，沒有飢餓感的人，可說體內酵素已相當缺乏。

「肚子餓了」的感覺，其實就是「健康的晴雨計」。

在胃部應該已經空了的時間，仍完全沒有飢餓的感覺，那麼腸胃一定衰弱，換言之就是酵素不足。

相反的，不斷進食卻仍然感到飢餓，而不知不覺吃得太多，同樣也是酵素不足所致。

這樣的人，最有效的方法就是「充分咀嚼」。

飲食過量的人，可以藉充分咀嚼來改善消化與吸收，原本未能攝取到的營養素即可確實吸收。不斷進食仍然感到飢餓，是因爲未能攝取到身體所需要的營養素而引起的反應，吃進肚子裡的食物如果都能確實吸收養分，過度的飢餓感就會消失。

咀嚼次數最少三〇～五〇次，不容易消化的食物可增至七〇次。最好將食物咀嚼成糊狀，然後自然的吞入喉嚨。

關於吃飯時間，有一點提供參考，就是在太陽下山之前完成。尤其是晚餐時間，最需要注意。

忙碌的現代人，常因工作使晚餐時間延後。因爲加班，九點以後才吃晚飯的情形可說相當平常。

前著中提到，晚餐應在就寢的五個小時前解決。就寢時如果胃中仍殘留有食物，睡眠中容易因逆流引起肺炎、睡眠呼吸中止症候群等。即使沒有出現如此嚴重的狀況，也會因消化不良而影響睡眠品質，無法靠睡眠來消除身體的疲勞，結果反而導致慢性疲勞。

因此，晚餐應盡可能在下午六點以前，最晚也應該在七點過後結束。

有人問我，深夜在家中吃糙米飯，與較早時間在外進食，哪一種方式對身體比較有益？

乍聽之下，好像很難選擇。其實不用多做思考。如果家中按時開伙，那麼就準備便當。如果住家離工作地點很近，就利用工作空檔回家吃飯。必須在外面解決民生問題的人，則可以選擇蕎麥店或日本料理店（編按：國內讀者可依「新谷飲食健康法」原則，來選擇餐廳和餐點）。最近出現不少以自然有機爲號召的餐廳，在這類餐廳用餐對身體應該不會有不好的影響。如果實在找不到好的餐廳，那麼不妨請熟悉的餐廳幫忙，製作一份糙米餐。

總之，希望各位讀者都能配合個人的生活形態和環境，培養出正確的飲食習慣。

漠視「胃腸聲音」的人容易罹患疾病

「盡量控制肉類的攝取量」、「不要食用乳製品」、「榨取的油脂很多為反式脂肪酸，應少吃油炸食物」。

聽了我的這些建議，有病人露出悲觀的表情說：「這樣不是失去了吃的樂趣嗎？」

抱持這種負面的想法，只會為自己帶來不幸。想吃什麼就吃什麼，真的是一種樂趣嗎？

請讀者們更深入的思考一下飲食與健康的關係。

飲食是我們生存所絕對必須的，也是一大樂趣。記得我年輕時閱讀的一本科幻小說中寫到，裝滿各種營養素的膠囊將成為人類未來的食物，但我認為文明不論多麼進步，也不致於如此。眼睛看到的顏色、鼻子聞到的香氣、舌頭嘗到的味道以及飯後的飽足感，這些喜悅是沒有任何東西可以取代的。

儘管如此，我們也不能一味追求這種快樂。因為，我們的身體只有眼睛、鼻子、舌頭和腦子等局部器官感覺得到這些快樂。

在快樂的背後，胃腸卻可能承受更大的痛苦。

大快朵頤美味的牛排時，胃腸是如何努力的進行消化？為了消化牛排需要消耗多少酵素？請大家思考一下。

如果不顧胃腸的痛苦，最後一定會付出重大的代價。

「疾病」正是不珍惜身體，漠視胃腸聲音的代價。

我認為享受飲食之樂的「心」，與將食物化為能量的「身」，必須保持平衡。

食物應讓人感覺美味與喜悅，同時，它也必須充滿能夠維持身體健康的生命能量。

兩者絕不矛盾。因為，對生命體而言，感覺美味的食物原本也應該是對身體有益的食物。

但是人類自幼就開始攝取含有添加物的飲食，結果，對身體有害的食物也令人感覺美味。這就是添加物所造成的一種味覺破壞。

讀了本書，如果自己感覺不含酵素的「死的食物」好吃，就該反省過去的飲食生活，養成眞正有益身體的習慣。

持續實行以酵素療法爲基礎的飲食法，半年至一年後，相信能喚醒你原來的味覺——感覺酵素美味的味覺。

不過也沒有必要因爲某種食物對身體有益，而勉強吃自己不喜歡或不好吃的食物。因爲每個人的身體都不相同，體內酵素的量、對特定食品的反應、基因的ON或OFF狀態等也因人而異。

有人從小愛喝牛奶，成年後持續飲用也沒有任何問題；也有人偶爾喝牛奶，腸相立即惡化，甚至出現疾病。

我的臨床資料也獲得一個非常有趣的結果。

我收集的「飲食習慣調查」資料顯示，因爲牛奶而罹患腸疾的人，幾乎都是小時候不喜歡牛奶，甚至討厭牛奶的人。我曾見過很多不愛喝牛奶，但因爲吃學校的營養午餐而不得不喝，或是爲了補充鈣質而勉強飲用，結果引發過敏、克隆氏病、潰瘍性大腸炎、關節炎等疾病。

所以我絕不會強迫別人吃不喜歡的食物。特別是小孩，沒有必要強迫他們改變對食物的好惡。一個人討厭某種食物或覺得某種食物不好吃，常是因爲這種食物對他而言並非好的食物。

身體是非常誠實的。對身體有益的食物會感覺「美味」，對身體有害的東西則覺得「難吃」。這是一種自我防衛系統，在小孩身上特別常見。

關於這一點，我認爲有必要進一步觀察，是不是因爲食品所含的成分令人感覺「難吃」。要確定這一點，最好的方法就是盡可能先讓小孩吃好的食品。

最近有很多小孩不喜歡吃蔬菜，我認爲他們不是討厭蔬菜，很有可能是感覺到蔬菜含有的化學肥料和農藥很「難吃」。證據是，如果讓他們吃有機栽培，不含農藥的優質蔬菜，幾乎所有的小孩都吃得津津有味。如果家中有小孩排斥蔬菜，令父母感到困擾的話，我建議試著購買一次眞正良質的蔬菜讓他們嘗嘗看。

若是吃了真正良質的食品，還是感覺難吃，那麼就可能是食品中的某些物質不適合孩子的身體。

多年來診察過許多病患，使我深刻感覺個人的差異非常大。

即使住在相同環境中，由於心理或基因等的差異，對於「有害健康的物質」的容忍程度因人而異。甚至連擁有相同DNA的同卵雙胞胎，容忍程度也會因出生後的生活方式而改變。

所以，必須從氣候、風土文化、水質、自己繼承的基因、環境、生活習慣、精神狀態等各方面來思考，才能真正理解對一個人最佳的飲食方式。

不過，不論任何人，不論處在任何環境中，只要遵守本書所介紹的飲食法，至少不致於有害健康。曾經在美、日兩國診治過三〇萬人的胃腸，根據臨床資料與治療成果，我有自信地這樣說。

有人每週吃三天葷食也無異狀，但也有人只吃一天就對身體產生影響。對於這種個人的差異，唯有傾聽自己身體的聲音，逐漸做調整一途。

這時，除了留意自己想吃什麼和不想吃什麼的感覺之外，還得注意吃過食物之後的身體狀況、是否有氣體累積在體內，以及排便的情況等。傾聽來自身體的訊息是非常重要的。

總之，首先了解「好的食物的根本」，然後檢討自己對好、壞食物的容忍程度。如此珍惜身體，才是享受飲食樂趣和健康長壽的祕訣。

CHAPTER 4

第四章

可延長壽命的實踐法

只改善飲食仍無法使身體健康

健康的基本是「正確的飲食」。我的酵素療法也是以此爲基礎。

在最近掀起的健康飲食熱潮下，市面上出現了各種關於有機食物、自然食物、慢食（**slow food**）等宣稱有助健康的飲食書籍。

雖然其中有些未能確實掌握乳製品的可怕，有些對肉食的建議量過多，在我看來不夠完全，不過大多數飲食法還是以有機栽培的蔬菜爲中心，若能確實實踐，對大家的健康仍有很大的幫助。

我的酵素療法並非只有正確的飲食而已，最好「七個健康法」能並行實踐。因爲，飲食雖然是健康的基本，但僅改善飲食是無法健康的。

我們的身體與所有要素都緊密關連，而且互相影響。

不論利用飲食攝取多少酵素，但如果不改掉不良的生活習慣，體內酵素還是無法增加的。而且，即使體內酵素增加，若不建立能活化酵素的體內環境，酵素也很難充分發揮它的能力。

我的酵素療法，目的爲改善體內的「五個流」，並使酵素、基因和微生物的「三角交流」能順利進行。不過，這些交流也需要使用酵素，因此要使身體健康，增加體內奇妙酵素的保有量是絕對必要的。

爲了增加體內奇妙酵素的保有量，除了藉飲食積極攝取酵素外，在日常生活中也要做到促進酵素的活性化，以及節省酵素的消耗。

用存錢來比喻，相信大家很容易就可以了解。

要成爲富有的人，賺錢是基本。但不論賺多少錢，如果不節省，是無法累積財富的。相反的，也不能除了生活開支外一毛不拔。重要的是，應「善於使用錢財」。

減少浪費，將錢用在刀口上，即可用最低的花費得到最大的收獲。然後藉儲蓄和正確的投資，創造更大的財富。

也就是說，要成爲富有的人，基本條件是必須會賺錢。但除了有賺錢能力之外，還得節約和具備善於投資來增加財富的能力，才能成爲眞正富有的人。

話說回來，**所謂健康的人，就是「擁有酵素」的人**。保有酵素的方法，與成爲富人的方法和觀念完全相同。

獲得酵素的基本，是攝取好的食物，使體內奇妙酵素增加。我認爲「正確的飲食生活」是健康的基本，就是這個道理。

但是，如果養成吸菸、喝酒等不良生活習慣，或經常接觸會大量消耗酵素的電磁波、藥物等，那麼不論攝取到多少酵素，體內酵素都無法增加。

酵素與金錢一樣，也不能只進不出。應該活化和有效率的利用，藉著酵素的使用來增加酵素。換言之，投資酵素以創造更多的酵素，才是最聰明的使用方法。

例如，我們吃下食物之後，身體必須使用消化酵素以及其他各種酵素來消化與吸收食物。這時，如果吃的是富含酵素的好食物，身體並非僅消耗酵素而已，更有助於酵素的吸收與製造。

有些食物雖然酵素含量並不豐富，但如果能幫助身體建立良好的腸內環境，使腸內細菌容易製造酵素，同樣能增加體內的酵素。

我們所有的生命活動都要用到酵素，因此必須以「積極攝取酵素」、「避免浪費酵素」和「活化酵素」做爲行動基準。

「七個健康法」正是滿足這三個基準的具體方法。希望大家從今天開始努力實踐，以成爲「酵素富人」。

如何節省酵素消耗？

積極攝取酵素的方法，就如同前述「正確的飲食」所說明，這一節將介紹「防止浪費酵素」的方法和「活化酵素」的方法。

生物在生存的過程中，會以各種形態來消耗酵素。我們即使什麼都不做，甚至在睡眠中，都會不斷的消耗酵素。

如果說「體內酵素豐富等於健康」，那麼，「疾病就等於酵素不足」。正如支出大於收入會使人貧窮一樣，酵素不足的最主要原因就是「酵素的消耗量超過攝取量」。

我們即使不直接攝取酵素，食物中所含的蛋白質能生成酵素，腸內細菌也能製造酵素，因此，攝取量未必等於酵素的保有量，不過酵素攝取量的多寡與體內酵素的量有密切關係卻是肯定的。

這裡再一次重複我們生活周遭可能浪費酵素的原因。

最浪費酵素的就是不良的物質進入體內後，身體所進行的「解毒」過程。例如酒精、香菸中含有的數十種化學物質、咖啡和紅茶的咖啡因、綠茶的丹寧酸、包括食品添加物在內的各種化學藥品、引起疾病的病毒和病原菌、環境荷爾蒙、自由基（活性氧）、電磁波、壓力等等，當它們進入體內，身體就必須消耗大量酵素來解毒。

身體某個部位大量消耗了某種酵素，其他部位就會出現不足的現象，不過這時酵素的使用有一定的「優先順序」。這種優先順序則依對生命的危害程度來決定。也就是說，如果不使用某種酵素會威脅到性命，那麼它就成爲最優先的使用對象。（這就好比與生活費比嗜好品或奢侈品優先的「用錢原則」相同。）

身體中必須優先守護的是心臟機能。因爲如果心臟停止跳動，新鮮的血液無法送至全身，其他的器官也將死亡。心臟是唯一不會罹患癌症的器官，我認爲這是因爲它的溫度較高，而且酵素優先使用在心臟的緣故。

優先順序次於心臟的是「解毒」。化解進入體內的毒素，對身體而言，重要性超過了攸關酵素攝取量的消化與吸收。

若長期持續需要大量消耗酵素來解毒的生活，那麼用來吸收身體所需物質的酵素就會不足，這樣不單單是消耗酵素而已，同時酵素的攝取量也會減少，對身體造成雙重傷害。

但現代人卻生活在容易消耗酵素的環境中。很多人每天的工作必須使用電

胃腸藥和便祕藥等切勿連續服用二週以上。
藥確實有它的療效，但這是「以毒制毒」的力量。

腦，電腦這類電子機器的電磁波會侵襲人體。另外，行動電話、電磁爐、電視、電毯等也都會放出電磁波。

另外，會危害身體的病原菌或病毒，雖然肉眼無法看見，卻是無所不在。而且住在都市裡的人，每天吸入的空氣中，也充斥著環境荷爾蒙或廢氣等化學物質。

所以，生活在現代社會，要完全避開這些危害幾乎是不可能的事。正因爲如此，我們更應該努力防止，以自己的意志即能排除的「毒素與毒物」進入體內。

能以個人意志拒絕的毒素，最具代表性的就是香菸與酒精。尤其是香菸，不但對自己有害，也會影響周遭的人，絕對要戒除。菸和酒不僅會使身體消耗酵素來解毒，而且會使血管收縮，破壞體內的循環，並阻礙酵素的活化。

還有一種因爲飲食生活不規律，而在體內產生的「毒」。例如肉類攝取過量、食物纖維和水分不足，使食物在腸內腐敗，產生有毒物質。便祕或腸子裡氣體多，或是排氣和糞便的氣味特別臭，就是腸內食物發生腐敗的證據。這時必須改善飲食生活，盡快將腸內的有毒物質隨著糞便一起排出。關於此方法將在後面詳細說明，這裡要提醒讀者注意的是，胃腸藥和便祕藥等切勿連續服用二週以上。

很多人在身體狀況不佳時會使用藥物。如果認爲藥是能夠治病的好東西那就錯了。所有的藥，基本上都是「毒」。

藥確實有它的療效，但這是「以毒制毒」的力量。

我也是醫師，當然也會爲病患開立藥物處方。但這都僅限於我觀察病人的狀況，判斷服藥的好處遠大於藥害時。

胃腸輕微疼痛、消化不良、腹瀉或便祕、感冒等情況，無需服藥，只要讓身體或胃腸休息，補充酵素和維生素，身體很快就會復原。希望大家務必記得，消耗在解毒上的酵素越少，身體的免疫力越高。

體溫低的人容易罹患癌症

實踐「七個健康法」，不僅能增加體內酵素，而且能活化酵素。酵素活化後，能抑制酵素的消耗量，這與增加奇妙酵素有相同的效果。

那麼，如何才能使酵素活化呢？

首先要攝取「輔酵素」（coenzyme）。維生素和礦物質等輔酵素是身體不可缺少的物質，如果不足，身體會出現各種問題。

因爲，輔酵素原本與酵素一起發揮作用，輔酵素不足的話，酵素就無法正常運作。

僅次於輔酵素，對酵素的活性化也有極大影響的是「體溫」。

能使酵素活化的溫度介於三七～四〇℃之間。生病時發燒，目的就是爲了活化酵素，以強化免疫力。因此，發燒時立即服用退燒藥會使剛提高的免疫力降低，並非好的做法。發燒時不要勉強解熱，應讓身體休息，建立能充分使用酵素與病魔戰鬥的體內環境。

關於體溫，有一點值得關切，就是以年輕女性爲主，正常體溫僅三五、六℃的「低體溫症」的人持續增加中。它的危險性超乎一般人的想像。因爲，體溫每下降〇・五℃，就會因爲酵素的活化不足，使免疫力降低三五％。換言之，正常體溫較低將導致恆常性的免疫力處於低落狀態。

最近還有研究報告指出，體溫較低的人，基因發生錯誤的機會較多，也較容易罹患癌症。而且，目前已知癌細胞的活動在三五～三六℃之間最爲旺盛。這也意味著低體溫的人比較容易罹患癌症。

要改善低體溫狀況，最有效的方法就是「正確的飲食」、「良好的休息與睡眠」以及「適度的運動」。

飲食方面首先需注意的是不要吃過多冰冷的食品。特別是夏季時，冰冷的食物令人身心舒暢，常不知不覺食用過量，因此應盡可能避免吃喝冰冷的食物和飲料，以防止體溫降低。食用蔥、薑等能使身體暖和的蔬菜可以有效改善低體溫症。

在冬季身體容易失溫的時期，可以藉由長時間浸泡在溫水中讓身體內部溫暖，睡覺時也可以使用熱水袋來防止體溫下降。有人冬天會使用電毯來保暖，但電毯會放出電磁波，而且會使身體的水分蒸發，所以最好避免使用。我建議利用遠紅外線的產品，現在市面上已有家庭用的遠紅外線低溫三溫暖，低體溫症的人不妨試試。

體溫較低的人血液循環也比較差，適度的運動或按摩有助於改善血液循環。相反的，飲酒或吸菸會使血管收縮，影響血液循環，我強烈的勸告飲酒、吸菸的人戒除這類不良嗜好。

還有一個能讓酵素活化的方法，就是感覺「幸福」。

身與心是一體的。無法感覺到生存喜悅的人，即使過著有益於健康的生活也很難見到效果。相反的，每天充滿活力和喜悅，就算生活有些逾矩，酵素依然能夠活化，不致於罹患太嚴重的疾病。

壓力、不滿、牢騷、悲觀、嫉妒、生氣等負面的感情，都是內心產生的

「毒」。這種毒如果能控制在一定程度之內，酵素可以將它化解掉，但若是超過一定限度，與身體的其他外來毒素一樣，也可能引發疾病。

醫學上尚未證明「精神」的存在，但每個人都知道它的存在。當情緒低落時，不論吃什麼美食都不覺得可口，反之，感覺幸福的話，即使只是平常吃的白飯，也會覺得好吃。

精神上感覺神清氣爽，身體也會健康；身體健康的話，心情當然會開朗。大家回想一下這種經驗，即使醫學上未能證明，相信也能理解這種心理與身體相互影響的現象。

糞便、尿液、汗水是「排毒」的重要機制

我們的身體，概略來分，是以「糞便」、「尿液」和「汗水」三種途徑將

體內的廢物排出。

「糞便」是在大腸中形成，主要成分為食物的殘渣和腸內細菌的屍骸，以及因新陳代謝而剝落的腸壁細胞。

「尿液」是在腎臟中過濾血液而成，也就是血液中所含的水溶液廢物。它的成分九八%為水分，其餘二%大部分為尿素，另外還含有微量的氯、鈉、鉀、鎂、磷酸、肌酸酐、尿酸、阿摩尼亞、荷爾蒙等。

「汗水」是由汗腺排出的含有鹽分的液體，成分與尿液幾乎相同，但水分占了九九．九%，在濃度上與尿液有些差異。「糞便」與「尿液」主要是為了排泄體內的廢物，「汗水」則以調節體溫為主要目的。有人以為汗水的排泄作用較低，其實不然。特別是在排泄體內累積的有害礦物質（重金屬）上有著重要的功能。

分析這些排泄物的成分，可以發現排泄的目的並非單純排出身體吸收營養之後的食物殘渣。將新陳代謝產生的廢物，以及從體外進入體內或在體內產生的「毒素」排出體外，也是「排泄」的重要功能。

尤其是生活在充滿各種有害物質的現代社會中，能否盡快分解或排出毒素，對於健康的維持具有重大影響。

毒素會以各種形態進入我們體內。

例如臭氧層損壞而產生的強烈紫外線、各種電氣產品放出的電磁波、香菸的煙霧、汽車排放的廢氣和垃圾焚化爐排煙中所含的戴奧辛等，即使在應該很安全的室內，建材也可能釋放出甲醛。另外還有我們經常使用的抗菌、防霉劑和清潔劑中所含的界面活性劑。食品中也有有害物質，例如幾乎所有加工食品都含有食品添加物，蔬菜可能殘留農藥，在受到汙染的海洋中捕獲的魚貝類，則可能含有汞、鎘等「有害礦物質」。

這些毒素與營養素一起被腸子吸收進入體內。毒素被送到肝臟解毒，再隨著血液經由腸子、腎臟，最後排出體外。

我們的身體具備解毒和排泄的功能，但是毒素的量如果過多，就無法全部分解而殘留在體內。

特別是被稱爲「有害礦物質」的重金屬類，具有容易與酵素結合的特性，不但很難分解，而且會阻礙酵素發揮功能，甚至影響其他毒素的解毒工作。

前面提到，身體會優先使用大量酵素來解毒。如果解毒工作受阻，即可能對全身造成不良影響。

首先，消化器官酵素不足的話，會影響消化與吸收，未完全分解的脂肪和蛋白質會直接流入血液中，使血液變得粘稠。粘稠的血液運送養分和接受廢物的能力都會降低，結果引起體力衰退、血液循環不良造成的手腳冰冷、五十肩、腰痛、皮膚暗沉等各種問題。

血液粘稠還會影響淋巴流從血液回收廢物和多餘水分的功能。血液循環不良使肌肉僵硬，靠肌肉收縮來運作的淋巴流會更加惡化。結果，原本應經由淋巴和血管排出體外的毒素或多餘水分，於是累積在體內。

酵素不足不僅阻礙「血液和淋巴的流」，經由血管和淋巴將廢物排出體外的「尿液的流」，以及將養分送入血管，並將食物殘渣排出的「腸子的流」都會惡化。

「腸子的流」惡化，還會引起各種問題。

食物如果無法完全消化與吸收，大量殘渣滯留在腸子裡，宿便會產生新的毒素。這種腸內環境的惡化，會減弱肝臟的活動，分解毒素和代謝的功能都會降低，導致體內環境更加惡化。

要切斷這種惡性循環，除了應盡可能避免毒素進入體內外，將聚積在體內的毒素排出的人爲「排毒」努力也不可少。

檢測體內毒素五〇問

生活在現代社會中，即使拒絕對身體不佳的食物，也無法完全阻止毒素的入侵。

以下列出五〇個問題，大家不妨自我檢測一下自己體內的毒素狀況。

體內毒素累積程度檢測表

符合自己狀況者請在■方框內打✓

- □ 1 容易感冒
- □ 2 腰痛
- □ 3 運動後疲勞不易消除
- □ 4 關節痛
- □ 5 經常腹瀉
- □ 6 經常便祕
- □ 7 青春痘或面皰多
- □ 8 皮膚容易粗糙
- □ 9 臉和腳容易浮腫
- □ 10 怕冷
- □ 11 沒有食欲
- □ 12 慢性疲勞
- □ 13 經常眼花
- □ 14 眼睛容易疲勞
- □ 15 肩膀容易僵硬
- □ 16 經常頭痛
- □ 17 經常掉髮
- □ 18 舌頭無法靈活轉動
- □ 19 臉上皺紋增加
- □ 20 身體麻痺
- □ 21 體重急劇增加
- □ 22 容易情緒低落

- □ 23 注意力下降
- □ 24 容易生氣
- □ 25 長期焦躁不安
- □ 26 周遭常有人吸菸
- □ 27 有吸菸習慣
- □ 28 狼吞虎嚥，暴飲暴食
- □ 29 晚餐時間經常延後
- □ 30 牙齒中有金屬填充物
- □ 31 討厭蔬菜
- □ 32 常吃零食
- □ 33 頻繁或大量食用魚貝類
- □ 34 家中的水未經淨化
- □ 35 很少攝取水分
- □ 36 長時間待在冷氣房中
- □ 37 經常失眠
- □ 38 經常飲酒
- □ 39 經常外食
- □ 40 經常食用高油脂食物
- □ 41 睡眠不足，總是感覺想睡
- □ 42 沐浴大多使用淋浴
- □ 43 長時間照射紫外線
- □ 44 很少運動
- □ 45 壓力大
- □ 46 三餐不定時
- □ 47 無法從容如廁
- □ 48 經常長時間保持同一姿勢
- □ 49 長時間使用電腦
- □ 50 每天洗頭

診斷結果分析

✓的數目0～5個——毒素累積程度1級

你非常優秀。爲了保持這種良好狀態，希望你今後能持續這種不致於在體內累積毒素的生活。

✓的數目6～15個——毒素累積程度2級

體內開始累積毒素。即使外表看起來健康，或許身體年齡已超過實際年齡。爲了避免毒素進一步增加，我建議實踐本書所介紹的「排毒法」。

✓的數目16個以上——毒素累積程度3級

體內已累積相當程度的毒素。這種狀態若持續下去，引發生活習慣病的可能性非常高，應立即開始排毒。

大家自我檢測的結果如何呢？

即使結果不佳，若能立即採取正確的排毒方法，仍然可以將毒素排出，所以不必過度擔心，不妨將它當作一個契機，盡早展開排毒工作。

對身體有益的四個排毒法

我的酵素療法中，也提出了以下四個排毒方法。

❶利用「吃」將毒素排出

這是積極攝取具有強大排毒能力的食物，將毒素「趕出」體外的方法。不過，如果攝取的食品遭到汙染，反而會增加毒素，因此必須選擇「無農藥」、「有機栽培」、「無添加物」的食材。

首先，對於一旦進入體內就很難排出的「有害礦物質」，最有效的方法就是攝取含有豐富「螯合物」（chelate）成分的食品，因爲這種成分可將有害礦物質夾出體外。

提到礦物質，一般人常聯想到人類生命活動中不可缺少的鈣、鎂、鉀、鐵等有用礦物質，其實礦物質中還包括會侵蝕身體的汞、鉛、鎘、砷等有害物質，自來水、汽車廢氣、香菸的煙霧、食品添加物、受汙染的魚類等都可能含有這些有害礦物質，並侵入人體。

螯合物成分能像螃蟹的螯那般，牢牢夾住無法分解的有害礦物質，將它們夾出體外。

富含這種螯合物成分的食品有洋蔥、大蒜、韭菜、生薑、糙米、雜糧類、花椰菜、蘆筍等。

另外，硒、鋅能與有毒物質結合，使其無毒化，建議大家食用富含硒與鋅的豆腐、腐皮、芝麻、綠黃色蔬菜、沙丁魚、墨魚、蛤仔、扇貝、堅果類、納豆等食品。

還有一項，是每餐都不可少的「食物纖維」。食物纖維無法消化，會直接成爲糞便。它的網狀結構能纏住附著在腸壁上的廢物和毒素，將它們一起排出體外。

食物纖維豐富的食品有糙米、雜糧類、牛蒡、蒟蒻、昆布、羊栖菜、裙帶菜、酪梨、蓮藕等。

❷喝好水將毒素排出

我們的身體大約七〇%爲水分。就和營養素會隨著體液送往全身一樣，毒素也會隨著體液流竄全身。這時，如果充分飲用還原力高的好水，可改善體液的循環，促進新陳代謝。於是，身體多餘的水分成爲尿液和汗水排出體外時，也會將毒素一同排出。

進行排毒工作時，建議每天至少飲用一・五公升的好水，可能的話，達到二公升也無妨。

這時當然不可以用茶或咖啡來取代水，也不能生飲自來水。自來水中除了含有氯和三鹵甲烷之外，還含有鉛、鎘等有害礦物質，反而會將毒素帶入體內。排毒時最好飲用以具備還原功能的濾水器淨化過的水，或是有信譽的天然礦泉水。

❸改善體液的循環將毒素排出

入浴、按摩、伸展等，都是可促進體液循環，將毒素排出的方法。

前面曾經提到，毒素在體內累積，會使體液的循環惡化。反之亦然，體液循環不佳的話，毒素也容易在體內累積。

在溫水中進行半身浴，能排出大量汗水，流汗則有助於毒素的排出。這時如果使用能釋放遠紅外線的陶瓷浴盆或遠紅外線低溫三溫暖，可以隨汗水排出更多有害物質。

而且，藉入浴使身體溫暖，也可改善血液與淋巴流，因此除了汗水之外，促進尿液與糞便的排泄同樣具有排毒的效果。

有些人泡澡時會在水中加入溫泉粉等「入浴劑」，其實，很多入浴劑都含有化學物質，對身體並不好。

有人問是否有好的入浴劑，我建議在浴盆裡加入一把具有還原力的鹽。它可以獲得接近氯化物溫泉（食鹽泉）的效果。

附帶一提，洗髮精、潤絲精、沐浴精等使用界面活性劑的物品，毒素可能由皮膚進入體內，危險性也不可輕忽。界面活性劑會破壞保護皮膚的角質層，使毒素容易從皮膚進入體內。

市面上已有不含界面活性劑的洗髮精，或許起泡或清洗的效果令一些女性感到不滿意，但我建議還是要盡可能的選擇這類產品。

另外，按摩、伸展可以放鬆因爲血液循環不良而僵硬的肌肉，使毒素不易在體內累積。特別是伸展運動，還能矯正身體的姿勢，改善肝臟的機能，希望大家務必將它帶入每天的生活習慣中。

④利用排泄將毒素排出

排出毒素的最大「出口」就是糞便。一般健康的人，食物吃進體內，經過消化、吸收後，剩餘的殘渣就變成「糞便」排出體外。整個過程大概需要二四小時。

腐敗物產生的有毒氣體、體內的有毒礦物質等，在大腸吸收水分時，會一起被吸收進入體內。

飲食中攝取過多肉類或是精神壓力大的現代人，有不少人是需要兩天以上的時間，糞便才會排出體外的「便祕者」，糞便滯留在腸道內，是對身體最不好的事情。

爲什麼呢？是因爲便祕的人，吃進肚裡的食物的殘渣和廢物，和有毒礦物質等毒素長期堆積在體內，所以對身體不好。我們腸子內的溫度約三六．五℃，幾乎比夏天的氣溫還高。殘渣、廢物長時間滯留在這種環境裡，當然會腐敗。腐敗物產生的有毒氣體、體內的有毒礦物質等，在大腸吸收水分時，會一起被吸收進入體內。

換句話說，糞便在腸內的時間越長，身體吸收到的毒素就越多。

要防止便祕或宿便汙染體內環境，我向大家推薦「咖啡灌腸法」。

咖啡灌腸法是利用灌腸器具從肛門插入，並將咖啡液注入大腸內，藉以清除與糞便和宿便一起滯留在腸內的壞菌。它不像一般灌腸劑那般含有瀉藥成分，無需擔心藥害，也不會形成依賴性。若每天持續使用，腸內環境將有驚人的改善，是非常好的排毒方法。

實踐了三〇年的咖啡灌腸經驗談

關於咖啡灌腸法，有人因爲誤解和知識不足，對它的安全性存疑。其實它是已經有七〇多年歷史與實際成果的排毒方法。

咖啡灌腸法原來是德裔美籍醫師格魯森（Max Geruson）所創的「格魯森療法」的治療方法之一。

一八八一年生於德國的格魯森，原擔任慕尼黑大學醫院結核專科主任，一九三三年赴美，在紐約取得醫師執照，之後二〇餘年致力於癌症末期病患的治療工作。

他的「格魯森療法」以他獨創的飲食療法與咖啡療法爲兩大主軸，有不少癌症末期病患因爲他的治療法而得救。

他的飲食療法，特點是以蔬菜、未精製的穀物、芋類、豆類爲中心，並控制動物性脂肪的攝取，與我的酵素療法有不少共通點。

他的治療法的另一個主軸「咖啡灌腸法」，是將咖啡液從肛門注入腸內，清洗接近肛門的大腸部分。爲什麼治療癌症要清洗大腸？我認爲原因是，將大腸洗淨使宿便排出，能改善整個大腸的功能，並活化肝臟的功能，肝臟的功能改善則可提高癌症的治療效果。

或許有人會感到奇怪，爲何咖啡灌腸能改善肝臟的功能。原因在於腸子與肝臟有非常密切的關係。

大家都知道肝臟能分泌膽汁促進脂肪的吸收，而它的「代謝功能」可以將攝取到的營養素轉換成身體能夠吸收與儲存的形態。此外，接受來自全身的毒素與廢物，並進行解毒，也是肝臟的功能。

酒精、各種化學藥品、食品添加物、因腸內食物腐敗而產生的毒素等，體內所有的毒素都仰賴肝臟來解毒。

在肝臟裡頭被酵素分解的毒素和廢物，會與膽汁一起經過膽管進入腸內，最後成爲糞便排出體外。

咖啡灌腸的作用就是使這個排泄過程順利進行。

咖啡含有的咖啡因和茶葉鹼，能擴大膽管，可提高將毒素和廢物送入腸內的效果。

如果腸內環境不良，糞便滯留，即使毒素經過處理，也無法送往腸子，並排出體外。因此，利用咖啡灌腸法清洗腸子，可有效排出宿便。

咖啡灌腸的目的在於清洗大腸，特別是接近肛門的左側那部分。因爲這裡容易累積宿便，而且是壞菌容易繁殖的地方。每天灌腸清洗，可防止腸內產生毒素，也可以使肝臟處理後的毒素盡快排出體外。

從嘴巴飲進未必對身體有益的咖啡，爲什麼從身體下方的肛門進入體內反而有益？這是因爲從嘴巴喝進體內時，咖啡含有的殺菌成分會阻礙消化系統前端，即小腸內的許多益菌的活動，相對的，用咖啡灌腸時，咖啡僅到達腸內壞菌較多的部位，所含殺菌成分能將壞菌殺死，然後沖洗流出體外。

現代人因爲飲酒、吃太多、壓力、生活環境的惡化等原因，常使肝臟過度工作，因此，讓腸子保持乾淨，盡可能減少毒素的產生和減輕肝臟的負擔是非常重要的。

有人擔心持續咖啡灌腸會形成依賴性，並導致腸子無力自行排泄。其實這是不了解咖啡灌腸與一般使用瀉藥的灌腸法之間的差別而產生的誤解。

我自己實施咖啡灌腸已經有三〇年了，即使沒有灌腸的日子，也都能正常排便。從來沒有因爲沒灌腸而便祕的經驗。反而是藉著灌腸養成了定時排便的習慣，即使沒灌腸，到了固定時間自然就會排便。

而且，我觀察過數千名接受咖啡灌腸者的腸子，不但腸相非常美麗，腸子的功能也相當正常。

「大腸水療」與「咖啡灌腸」不同

現在，咖啡灌腸在美國已成爲革命性的癌症輔助療法而備受注目。

一九八一年，華登堡醫師以科學證明咖啡含有的成分，可幫助酵素分解血液中的毒素，使得有數十年傳統的咖啡灌場法的效用重新受到肯定。也就是說，在這之前只能用臨床結果來佐證的咖啡灌腸，它的效果終於獲得科學的確認。

之後，許多醫師也紛紛展開咖啡灌腸的研究。

一九九六年，尼可拉斯岡薩雷斯（Nicholas Gonzales）醫師的「胰酵素（Enzyme Pancreatin）的投予與咖啡灌腸的胰臟癌治療研究」，即曾受到美國國家衛生研究院（NIH）重視，而獲得一四〇萬美元的資金援助。

與咖啡灌腸並用的酵素療法，在美國已成爲不使用藥物的革命性癌症輔助療法，廣泛的被利用。

> 與咖啡灌腸並用的酵素療法，在美國已成為不使用藥物的革命性癌症輔助療法，廣泛的被利用。

咖啡灌腸不是藥，健康的人實施不但沒有任何問題，更能盡快將毒素排出體外，並節約酵素，對健康非常有幫助。

最近，日本掀起了一股「排毒」熱潮，出現各種排毒方法。但遺憾的是，這些方法大多要使用藥物或機械，對人類而言並非自然的方式。

有些醫院還會藉機械將清洗液注入腸內進行「大腸水療」，在注入清洗液時腸內壓力增高，憩室有炎症的人，可能使症狀惡化或腸壁損傷。而且，以機器反覆清洗腸內，會造成體內的礦物質過度排出，若清洗到小腸，更有阻礙營養素吸收之虞。因此，使用機器的「大腸水療」不可每天實施。

咖啡灌腸法注入咖啡時，並非以機械從外施加壓力，因此不用擔心腸子清洗過度。而且，咖啡灌腸所清洗的只有毒素容易累積的大腸的左側部分，即使每天實施也沒有問題，又可以在家中依自己的狀況進行，對於為便祕所苦的人、排氣氣味難聞的人、經常腹瀉的人，健康效果極佳，請務必一試。（編按：讀者選用時，請一定依照灌腸器材所附的說明書小心使用。）

已罹患癌症的人或擔心癌症復發的人，咖啡灌腸也是值得推薦的排毒方法。岡薩雷斯醫師已將咖啡灌腸當作胰臟癌酵素療法的一環，如前面所述，肝臟是分解全身毒素的器官，若肝臟功能獲得改善，對全身的健康大有幫助。

腹式深呼吸是無需道具的優良健康法

睡覺、工作、看電視、吃飯，不論任何時間，我們都在呼吸，但是對呼吸幾乎沒有感覺。在這樣無意識之下仍能進行呼吸，就是因爲呼吸受到自律神經控制。這與心臟在無意識下不停止地運作是一樣的。

由自律神經所控制的器官，例如心臟和胃腸，即使在無意識下仍能運作，但是我們卻無法以自己的意志來啓動或停止。唯有呼吸，我們可以有意識的進行深呼吸，或是短暫的停止。也就是說，自律神經所控制的器官或機制，我們能以意志來控制的，只有呼吸而已。

「正確的呼吸法」就是活用這種呼吸的特性，來調整容易失調的自律神經。前面提到，自律神經有兩種，一種是興奮時會活化的「交感神經」，另一種是放鬆時發揮作用的「副交感神經」。這兩種神經取得平衡，才是健康的狀態。

但是在外來刺激和壓力源源不斷的現代社會中，自律神經常處於交感神經優勢的狀態。交感神經屬於興奮的神經，人在活動時有它的優點，但是如果過度，酵素的消耗量就會增加，同時胃腸的功能遲鈍，導致免疫力下降。

生活在現代社會中，自律神經容易失去平衡，而能夠幫助我們調整自律神經的，就是「腹式深呼吸」。

腹式深呼吸具有抑制交感神經，使副交感神經活化的效果。而且能讓身體放鬆，紓解壓力。

最理想的方式是每小時深呼吸四～五次，盡可能選擇空氣清淨的地方，以吸氣短，然後一點一點緩緩吐氣的方式進行。

腹式深呼吸需要活動腹部，當腰部肌肉過緊時，最好先放鬆肌肉再實施。緊身衣會妨礙呼吸，因此不僅限於腹式深呼吸時，即使平常也應該盡可能避免。尤其是女性，內衣太緊會壓迫肺部，使呼吸減少大約二〇～三〇％。

呼吸過淺，進入體內的氧氣不足時，身體會出現各種問題。特別是有慢性疲勞感的人，可能就是氧氣不足所致。

腹式深呼吸能刺激副交感神經，活化副交感神經控制下的免疫系統，大幅提升對疾病的抵抗力和免疫力。

腹式深呼吸沒有場所的限制，也不需要任何工具，是非常優良的健康法之一，希望大家能將它帶入每天的生活中。

呼吸過淺，進入體內的氧氣不足時，身體會出現各種問題，例如慢性疲勞。

用嘴巴呼吸易導致疾病

腹式深呼吸時唯一需要注意的是，必須使用「鼻子」呼吸。

但是最近用嘴巴呼吸的人明顯增加。有一項調查結果顯示，成人有大約半數，兒童更高達八成經常用口呼吸。

不知大家是如何呼吸的？

請大家嘗試用手摀住嘴巴來呼吸看看。如果感覺呼吸困難，就表示你無意識中可能是以口呼吸。

其實，用嘴巴呼吸是違反自然法則，對身體有害的壞習慣。

曾經擔任東京大學醫學部口腔外科教室的講師，目前開設西原研究所的西原克成所長，在著作《提高免疫力的生活》一書中提出警告：「用口呼吸會破壞免疫機能，成爲許多疾病的導火線。」

事實上，用鼻子呼吸有幾個嘴巴呼吸所沒有的好處。

首先是「除塵作用」，淨化吸入體內的空氣。我們吸入的空氣中有細小的塵埃和微生物，以及微生物的屍骸等各種物質。如果用鼻子呼吸，鼻黏膜能除去大約五〇～八〇%的有害病原菌。

而且，空氣通過鼻腔內時，可適度的加濕與調節溫度。這樣能防止氣管乾燥，避免病毒繁殖。

其次，如果肺部過於乾燥，或空氣的溫度過低，空氣很難與黏膜結合，會影響氧氣的吸收率，若用鼻子呼吸的話，空氣在加濕的同時，也會進行溫度調節，即使在寒冷的季節，也不會降低氧氣的吸收率。

用嘴巴呼吸時，這些鼻子呼吸的優點全部逆轉。對身體有害的物質直接進入氣管和肺部，病毒變得容易繁殖，也無法充分吸收到必要的氧氣。

很多人飲酒過量後睡覺會打鼾，這是因爲大量酒精使鼻黏膜腫起，導致鼻子呼吸困難，而無意識的使用嘴巴來呼吸。但是，嘴巴呼吸無法吸收到充分的氧氣，血氧濃度隨之降低。飲酒次日或有過敏性鼻炎的人容易發生心肌梗塞，嘴巴呼吸造成血氧濃度下降是主要原因之一。

有用嘴巴呼吸習慣的人，不妨經常使用鼻子做腹式深呼吸，而且平時就應該注意閉起嘴巴來呼吸。要養成用鼻子呼吸的習慣，幼兒可以使用奶嘴，大人則可輕咬菸嘴之類的物品，很容易即可將嘴巴閉起來，自然養成用鼻子呼吸的習慣。

由功能來看，嘴巴是進食而非呼吸的器官。人類原本就具備呼吸用的鼻子，因此平常就應該使用鼻子來呼吸。

應在晨間運動而非夜晚

劇烈運動會在體內產生大量自由基，必須消耗大量酵素來解毒，對身體並不好。不過適度的運動卻是健康生活中不可缺少的。

因為，適度的運動可以改善「血液與淋巴」、「胃腸」、「尿液」、「呼吸」，以及「氣」等體內五個重要的流。

五個流改善後，「養分的供應」、「廢物與毒素的排出」、「氧氣的供應」都可順利進行，使全身的新陳代謝旺盛。新陳代謝旺盛，即可供應酵素發揮作用時不可缺少的輔酵素，使酵素活化。

而且，適度的運動能使體溫上升，讓酵素更加活化，同時提高免疫力。換言之，適度的運動是能夠使酵素雙重活化的優良健康法。尤其是體溫較低，酵素活力不足的人，每天適度的運動可以改善低體溫現象，請務必實踐。

那麼，什麼程度的運動是「適度的運動」呢？

所謂適度的運動，是依每個人的體力、生活型態、精神狀況而異，大致上來說，應該是不致於打亂呼吸節奏，讓身體輕微發汗，並令人樂於持續進行的運動。心跳數大約達到九〇～一〇〇下。

我向病患推薦的運動包括伸展、散步、輕鬆的屈體運動等。對於健康的人或每天跑步的人而言，運動量或許不足，但若僅以改善體內的五個流為目的，這樣程度的輕鬆運動已經足夠。

因此，像家庭主婦般每天打掃、採買、煮飯、做家事的人，沒有必要再從事特別的運動。**用抹布擦地板等工作其實就是相當好的運動。**

不過，有些人雖然每天做家事，但如果購物有車代步，家裡房間又少，家事很快就完成的話，還是需要散步等輕鬆的運動。

以我自己為例，由於白天工作忙碌，因此上午睡醒時一定會做一些輕鬆的運動。醒來之後，首先在床上「輕輕活動手腳」和進行「腹式深呼吸」，接著

會讓人感到心情愉快而非疲勞的運動，才是理想的運動程度。

在床上保持仰躺姿勢，做「手腳交互上下擺動」和「伸展」運動，然後起身，「左右手各向前猛推百下」，最後配合收音機音樂做「收音機體操」。

我的運動內容稍嫌劇烈，因此讀者無需完全模仿。依照自己的方式，或是從我的運動中選擇幾項來做都好，重點是要在自己能力範圍內進行。**如果運動後感到疲累，那就是「運動過度」**。令人感到心情愉快而非疲勞，才是理想的運動程度。

我在假日常打高爾夫，工作的日子則盡可能多走路。**走路是最佳的全身運動，任何人都可以輕鬆實踐**。每天大約二～三公里即可，希望大家都養成每天散步或走路的習慣。

下班後，很多人先去健身中心，這樣會使晚餐時間延後，並影響睡眠品質，有時反而會累積疲勞。對於這種情形，我建議下班後先吃晚餐，飯後經過一小時以上再運動。

但是運動能刺激交感神經，所以我並不鼓勵在副交感神經應該處於優勢的時間運動。晚上的運動以消除一天疲勞的按摩或伸展爲佳，盡可能將重點放在上午的運動上。

辦公室也能實施的簡易伸展運動

長時間保持同一個姿勢，容易導致身體的五個流停滯。必須長時間久坐或久站，維持相同姿勢工作的人，大約每隔一小時就要活動一下身體、補充一些水分，以改善體內的流。

這裡介紹幾個辦公室裡也能做的簡易伸展運動。

辦公室簡易伸展操

腰部伸展操——腰部的屈體運動

不論久站或久坐，長時間保持同一姿勢，承受最大負擔的就是「腰部」。腰部伸展運動採取站姿，將雙腳打開與肩同寬，上身交互前屈、後仰，或左右扭轉，以放鬆腰部僵硬的肌肉。

腰部感到疼痛時，用手按住痛處來加溫，然後加以按摩，這樣能改善血液循環，減輕疼痛。

腳部伸展操——起立、蹲下

長時間維持同一姿勢，腳部容易疲勞、腫脹，這是因為淋巴流停滯，含有廢物的水分集中在腳部的緣故。

最適合用來預防腳部疲勞和腫脹的運動就是交互起立與蹲下。每小時做五、六次，配合腹式深呼吸緩慢進行。

久坐工作腳部容易腫脹的人，建議在桌下放置一個二〇～三〇公分高的台子，兩腳交互放在台子上，或經常轉動腳踝，這樣可減輕腳部肌肉的疲勞和腫脹。

肩頸伸展操——轉動頸部和肩膀

長時間坐著工作對頸部和肩膀都會造成負擔。

向前、後、左、右伸展頸部肌肉或轉動頸部，都可以舒緩肌肉緊繃。轉動肩部，或突然用力將肩膀抬起，然後重重放下，即使是簡單的動作，只要勤做都有很大的幫助。

我的辦公室裡放置有啞鈴，有空時就用來鍛鍊腕力。一般上班族不太可能準備啞鈴，可以用裝了水的保特瓶來代替。

長時間坐著工作，雖然運動量很小，卻容易感到疲勞，原因是體內的流不暢通，使廢物和疲勞物質「乳酸」滯留在血液中。適度的運動能放鬆肌肉，促進新陳代謝，雖然運動量增加，反而能減少疲勞感。

這些運動每次只要花很少的時間即可，重要的是「每天持續不斷」。不使用上面介紹的運動也無妨，只要自己感覺愉快，任何運動都好。另外，大家最好在日常生活中設法增加一些運動量，例如上下樓時盡量走樓梯而不要搭乘電梯。

爲何「午睡」對身體有益？

體內酵素會在睡眠與休息時快速增加。

疲勞時好好睡眠可以恢復體力，我認爲原因就是酵素的消耗在睡眠中減少，同時身體加速生產奇妙酵素。

長期睡眠不足，會使體力下降，則是因爲奇妙酵素的生產與消耗的均衡被破壞所致。

但是在現實生活中，精力旺盛、工作忙碌的人往往很難獲得充足的睡眠時間。我年輕時也勤奮得常被其他醫師問道：「你每天到底幾點鐘睡覺？」

在這樣忙碌的生活中，仍要維持健康，我建議大家活用一、二分鐘至二〇分鐘左右的短暫睡眠。剛開始可能需要使用鬧鐘以防睡過頭，但習慣之後，不論二分鐘或一〇分鐘，都能睡得深沉，而且時間一到即自然醒來。

若能做到這一點，就可以充分利用搭乘電車或計程車等工作的空檔，讓體力恢復，大幅減輕睡眠不足對健康的危害。

我已經養成每天午餐後躺下小睡二、三〇分鐘的習慣，即使是短短的二〇分鐘，就足以讓我下午也能跟早上一樣精神飽滿的專注工作，因此希望大家也能養成午睡的習慣。

人類的身體在飯後會活化副交感神經所控制的消化器官，使副交感神經處於優勢。人在飯後感覺想睡就是這個緣故。

善於應用這種「身體想要休息」的時機，是只需短暫休息即可使體力恢復的祕訣。

因此，**當你覺得疲倦或想睡時，不要硬撐，五分鐘或一〇分鐘都可以，最好讓身體休息一下**。這時若能躺下，可抑制酵素的消耗，加速體力的恢復，若受限於場地，只要靠在椅子上，閉起眼睛即可。

我之所以特別建議大家午睡，除了有助於恢復體力之外，還能抑制酵素的消耗，將節省下來的酵素用在消化與吸收上，使消化與吸收更爲順利。

讓體內每一個細胞都快樂

沒有幸福感就不可能得到健康。不可能有人心理上出現病態或感到疲憊，身體卻能健康的。因爲，負面的情感會降低人的免疫力。

精神的力量不論正面或負面都是非常強大的。一個人即使飲食或運動方面都照顧到身體的健康，但如果內心有所不滿或受負面思緒所支配，這個人一定會生病；相反的，雖然在肉體上很辛苦，但內心充滿幸福感，總是抱持正面想法的人，通常不容易生病。幸福戀愛中的人不常生病就是這個原因。

這種精神與肉體的關係，過去並沒有科學的根據，只是被單純的視爲精神論，但最近的研究已經證實，正面的思考、精神上的充實感、幸福感、笑容等，能夠提高身體的免疫力，並有助於疾病的預防或治療。

在肉體上很辛苦，但內心充滿幸福感，總是抱持正面想法的人，通常不容易生病。

幸福感和正面的思考能提升免疫力，換一種說法，也就是「幸福感和正面的思考能活化酵素」。

我希望讀者了解，爲了健康、長壽，不應從負面來思考：「不這樣的話會生病」或「這樣做的話對身體有害」；而應從正面思考：「這樣對身體有益」或「這樣可排除身體有害物質」，任何事情都抱持正面想法，並樂在其中的實踐「七個健康法」。

前言中提到我非常喜歡吃肉，但每年只吃三次左右。主要原因並不是因爲它對身體不好，而是因爲偶爾品嘗更能倍增享受美味之樂。

我每天上午運動，也不是因爲不運動就會生病。而是我了解，適度的運動能改善體內的「五個流」，而且構成身體的每一個生命都能快樂的生存。

你的健康不單屬於你一個人而已，也是構成你身體的無數生命的健康。你的幸福感也不是你一個人的，對於構成你身體的無數生命而言，也是它們的幸福感。

當你感覺快樂，例如聆聽非常喜愛的音樂，內心充滿幸福感時，體內的每一個細胞也會快樂。因此，希望大家珍惜自己的幸福感。

當你欣賞一幅美麗的繪畫，內心因爲感動而顫動時，或許你體內的所有常在菌也跟著感動而顫動。

幸福所含有的，並非單純的快樂而已。例如你經過一番努力而獲得某種成就時，幸福感一定遠超過沒有經過努力的成功。這種幸福感中，即包含了辛苦、努力等一般想法中的負面重要因素。

年輕的醫師問我，如何才能跟我一樣成功開發出新的技術時，我總是回答：「永遠抱著宏大的目標，並不斷努力去實現目標。」人的心理是很有趣的，同樣的工作，如果認爲困難、辛苦，它就成爲苦差事；如果將焦點放在快樂的部分、對自己有幫助的部分或新的發現上，它又變成了幸福的工作。

因此，我希望大家抱著樂在其中的想法實踐「七個健康法」。

實踐健康法對於身心而言本來都應該是充滿喜悅的事。如果你感覺痛苦，主要是因爲你在實踐時產生了「對疾病的恐懼感」或「對健康的義務感」。

這時，請暫時停止，傾聽一下身體的聲音。不論在任何時候，健康都是值得身體喜悅的。

吃自己覺得美味的食物、喝好的水、順暢的排泄、愉快的運動。用鼻子吸取新鮮的空氣，疲勞的時候好好休息，讓心裡永遠充滿幸福感。

本書介紹的健康法就是以此爲目的。

身體的喜悅也就是你自身的喜悅。你的喜悅能產生酵素，並成爲活化酵素的能量。這種因喜悅的能量而製造、活化的酵素，能喚醒你沉睡的基因，使你充滿幸福感的人生更為長久。

頭腦和身體一直在傾聽你的言語

明知道正面思考有益健康，但很多時候就是做不到。例如碰到討厭的事情時、生氣時、懊惱時……。不論任何人，在這些時候都難免往負面思考。這時，請務必做到「即使心裡產生負面的想法，也絕對不要說出口」。

言語能製造現實。負面的言語會拉近負面的現實，正面的言語則會拉近正面的現實。因此，在痛苦的時候或碰到不如意的事情時，即使心裡不這樣想，也應該說出積極而開朗的話。

這不是迷信。心中所想的，與化爲言語從口中說出，在力量上有很大的差異。頭腦並非單純思考的器官，對於聽到的言語也會敏感而強烈的反應。這是我們身體的「視覺」、「觸覺」、「聽覺」、「味覺」、「嗅覺」五種感覺所接受的刺激中，反應最強烈的一種。

發出聲音的話語，即使是自言自語，你本身也聽得見，而且會強烈的受到自己的言語影響。

耳朵聽到的話，會在頭腦中處理，這時，正面的言語對頭腦產生正面的刺激，負面的言語則產生負面的刺激。這種刺激再由頭腦傳至全身，對全身造成影響。

不相信的人不妨自己一試。下班或下課回到家裡，抱怨：「啊，今天眞累！」或「今天眞是令人厭煩的一天！」；或是從正面思考：「哇，今天做了不少事。」、「明天繼續努力！」再比較一下兩者的身體疲勞度。相信可以發現做出正面反應的第二天，體力明顯恢復。

這是因爲正面的言語對頭腦產生正面的刺激，這種良性刺激傳至全身，可以活化身體的免疫力。

由於言語的影響會擴及全身，因此能活化全身酵素，促進頭腦功能，使體液的流順暢，並改善胃相與腸相。

你的頭腦和身體有聆聽你每天說的話嗎？

言語是具有強大力量的「刺激」。

請想像一下。

和每天滿腹牢騷、抱怨連連、氣憤不平或頻頻喊累，嘴裡全是負面言語的上司一起工作，你能產生工作欲望嗎？

你是否覺得不論多麼辛苦，口頭上始終保持樂觀或積極的上司比較好？

身體也是一樣。

每天對自己心愛的家人或情人說：「眞漂亮！」、「我愛你！」、「謝謝！」相信不但對方覺得幸福，自己也能產生幸福的感覺。將這種充滿感情的話掛在嘴上是非常重要的。

我每天睡前都會將手放在肚子上，出聲說：「啊，今天眞是美好的一天。」、「我眞幸福。」即使這一天非常辛苦或曾經碰到不愉快的事，說完之後的第二天都能再度充滿活力和能量的迎接新的一天。

希望大家經常對自己說正面的話，以營造健康而幸福的人生。

結語

身體集人生之大成，生活型態會表現在身體上

身體是非常誠實的。

我依照酵素療法來生活已經將近三〇年，因爲受這種生活方式之助，這段期間內我從未生過病，每一天都充滿活力。我不僅實際感覺到酵素療法的效果，做體力測驗或皮膚年齡檢測等，得到的數值也顯示我的身體年齡比實際年齡來得年輕。

不過我身上還是有一個部位，衰退的程度超過實際年齡，那就是右眼。

我的右眼會比身體其他部位衰退，原因是身爲內視鏡外科醫師，過去數十年每天用內視鏡診斷五、六〇名病患的胃腸，導致右眼使用過度。

身體是非常誠實的。不論多麼愛惜它，使用過度的話就會衰退。

到了一定年齡的人，相信身上都有一些因為工作關係而感覺特別衰退的部位。或許有人還因為過度使用而患病。

你今天的身體，可說是集你過去人生之大成。不論好的或不好的，所有的生活型態都會表現在身體上。

日本人是相當勤勞的民族。不但工作優先於家庭被視為理所當然，甚至重視工作更甚於自己的健康的人也不在少數。但是要在工作上有所表現，卻必須先有健康的身體，因此愛護身體是非常重要的。我的右眼也因為大約十五年前起，改用監視器觀看內視鏡的影像，加上每天確實實踐酵素療法，現在已經改善不少。

不論是已經感覺到身體衰退的人，或是已罹患某種疾病的人，即使現在開始有益身體的行動也不嫌遲。如果繼續硬撐，身體將誠實反映後果，並繼續衰退，但若立即改善生活，身體仍可確實的恢復。

只要讓體內的奇妙酵素一點一點增加，感覺身體衰退的人可望重現活力，症狀也會逐漸改善。

只要讓體內的奇妙酵素一點一點增加，感覺身體衰退的人可望重現活力，生病的人也會發現症狀逐漸改善。原本就健康的人實施酵素療法，不但能減緩肉體的老化，甚至可返老還童。

不過老實說，酵素療法的效果並非立竿見影的。因此，實踐酵素療法時，我建議最少持續一二〇天（大約四個月）。

爲什麼要持續一二〇天？原因是人類身體細胞的更新速度雖因部位而異，但大約一二〇天細胞可全部換新。

由於舊的細胞受到過去的飲食和生活習慣所影響，因此要等到所有細胞完全更新之後，酵素療法的效果才能百分之百顯現。

持續一二〇天後，組成身體的細胞都成爲「正確的飲食」和「好的生活習慣」所培育出來的健康細胞。更新速度比細胞快的體內常在菌，在好的環境中當然也能成爲健康的細菌。

當你的身體全由健康的細胞和細菌組成時，相信你可以眞正體會到戲劇性的變化和眞正的健康。

培養「健康基因」的生活方式

一二〇天可以讓人體驗到戲劇性的變化，但並不意味著身體原本就有問題的人，能夠在這段時間內全部化解。

即使細胞全部更新，卻無法立即解決所有問題，我認爲這是因爲每一個細胞都有「記憶」。

我們的身體是無數生命的集合體，正因爲組成身體的所有生命都有「記憶」，所以能夠具備「我」的意識。一般人認爲這種記憶是儲存在「頭腦」中，但我認爲以器官或細胞爲單位，都儲存著記憶（資訊）。

器官移植病例較多的美國，已有多篇報告指出接受心臟移植者繼承了捐贈者的記憶。

我們受到較大的傷後，所留下永久的疤痕，或許就是這個部位的細胞對受傷的記憶。否則，細胞更新後疤痕應該會消失才對。

我想這種「記憶」就是基因的「ON或OFF」。罹患了癌症的人，癌症基因因爲過去不正確的生活不斷累積而成ON的狀態；癌症痊癒或克服了其他疾病的人，則是癌症基因或疾病基因的開關轉到OFF狀態。

細胞在更新時也繼承了這種基因的「ON或OFF」狀態。前面提到，所有細胞雖然帶有相同的基因，但會依照部位不同，形成指甲、肌肉、內臟等不同的器官或組織，就是因爲基因的「ON或OFF」因部位而異，即使細胞反覆分裂，依然不斷的繼承下去。

我認爲酵素療法不但是增加酵素、防止酵素消耗、活化酵素的方法，同時也能讓良好基因的開關保持ON的狀態，而不好的基因則處於OFF的狀態。因此，長期遵循酵素療法來生活，你的基因將可成爲帶有「良好記憶」的健康基因。

我們的身體是由六〇兆個細胞、二〇〇兆個腸內細菌，以及位於皮膚、鼻腔、口腔等處的無數微生物共生，所組成的一個「生命體」。

每一個小的生命都帶有「健康的基因」，那麼它們的集合體當然也是健康的。在日常的生活中，我們無法看見基因層次的變化。但如果我們有意識的愛護身體，基因一定有好的變化。

身體絕不會騙人

本書用了相當大的篇幅談論上一本著作受到最熱烈回響的飲食問題。內容可能有些瑣碎，簡單來說，就是要吃「富含在有益健康的環境中培育出來的健康基因」的食物。

如同我們身體每一個細胞都有記憶一般，我們吃的食物也有各種記憶。

我們一般所說的食物，大部分也是由許多細胞組成的生命集合體。我們吃下食物時，食物的「記憶」也會一起被身體攝取。

帶有健康基因的食物，可使我們良好基因的開關呈現ON的狀態；帶有不健康基因的食物，則會打開我們不良基因的開關。希望大家了解，我們進食並非僅攝取到食物的營養素，同時也會得到基因的資訊。

人類的身體和我們的生命，仍有許多未解之謎。

關於酵素和基因，同樣也有許多人類還不了解的部分。

以我的奇妙酵素理論爲基礎的酵素療法，不可否認的，也有未經醫學證實的部分。但我會將它寫成本書，原因是我自己的身體，以及美日兩國超過三〇萬人的臨床資料，都顯示它是極佳的健康法。

身體絕不會騙人。

身體告訴我三個「眞理」：

「唯有生命能夠滋養生命」

「唯有健康的基因能夠製造健康的基因」

「唯有在自然的法則之下能夠培育出健康的基因」

我們每個人的生命，都已寫好健康走完壽命的「生命劇本」。百分之百依照此生命劇本去生活當然是最理想的。

但是，就像我爲了工作不得不過度使用右眼般，任何人都不可能過百分之百理想的生活。

但我認爲沒有關係。

對我而言，這個「右眼」正是身爲內視鏡外科醫師的勳章。

人類若沒有生存的意義、工作的成就、對他人付出的愛或來自他人的愛，就無法得到「幸福」。但爲了獲得這些，以求幸福的生存，有時卻必須違背自己的意志或做出一些犧牲。

如果只吃有益身體的食物，拒絕一切宴會邀約，就很難交到朋友。不論身體多麼健康，沒有朋友的人生會幸福嗎？

怕影響健康而拒絕加班或辛苦工作，在社會上必然無法成功。不論身體多麼健康，工作得不到肯定的人生會幸福嗎？

眞正重要的是任何事情都不可過度，應保持均衡。**工作過度、肉食攝取過**

希望大家抱著生存的價值與喜悅，同時珍惜自己的身體，均衡而幸福的長久度過健康人生。

量對身體都不好。同樣的，對自己的健康過於執著，我認爲也不是好事。

感覺身體超過負荷時，不妨體恤一下自己的身體。在生活上盡可能愛護身體，其餘依照「生命的劇本」演出，並努力讓自己感覺幸福。這樣的話，即使人生過程中身體有時超出負荷，但是奇妙酵素可做爲我們的後盾。

我透過本書向大家傳達的，並不是要大家過著「健康狂」的生活方式。而是希望大家抱著生存的價值與喜悅，同時珍惜自己的身體，均衡而幸福的長長久久過著健康人生。

本書介紹的所有健康法能並行實施當然最爲理想，若是無法做到，不妨從飲食開始逐步擴大。

身體是誠實的。只要實踐正確的方法，必定能爲你的人生帶來好的變化。

由衷期望本書對你的健康和幸福的人生有所幫助。

The Eurasian Publishing Group
圓神出版事業機構
用心與你對話・視野無限寬廣
如何出版社
Solutions Publishing
http://www.booklife.com.tw　inquiries@mail.eurasian.com.tw
Happy Body 073

不生病的生活・實踐篇

作　　者／新谷弘實
譯　　者／劉滌昭
發 行 人／簡志忠
出 版 者／如何出版社有限公司
地　　址／台北市南京東路四段50號6F之1
電　　話／（02）2579-6600（代表號）
傳　　真／（02）2579-0338・2577-3220
郵撥帳號／19423086　如何出版社有限公司
總 編 輯／陳秋月
主　　編／林振宏
責任編輯／張雅慧
美術編輯／金益健
行銷企畫／吳幸芳・范綱鈞
印務統籌／林永潔
監　　印／高榮祥
校　　對／吳靜怡・張雅慧
排　　版／杜易蓉
總 經 銷／叩應有限公司
法律顧問／圓神出版事業機構法律顧問　蕭雄淋律師
印　　刷／祥峰印刷廠
2007年9月　初版
2008年4月　22刷
BYOUKI NI NARANAI IKIKATA 2 JISSENHEN

定價250元　ISBN 978-986-136-140-6

每一本書，都是有靈魂的。
這個靈魂，不但是作者的靈魂，
也是曾經讀過這本書，與它一起生活、一起夢想的人留下來的靈魂。
——《風之影》

想擁有圓神、方智、先覺、究竟、如何的閱讀魔力：

- 請至鄰近各大書店洽詢選購。
- 圓神書活網，24小時訂購服務
  免費加入會員．享有優惠折扣：www.booklife.com.tw
- 郵政劃撥訂購：
  服務專線：02-25798800 讀者服務部
  郵撥帳號及戶名：19423086　如何出版社有限公司

國家圖書館出版品預行編目資料

不生病的生活．實踐篇／新谷弘實 著. 劉滌昭 譯.
-- 初版. -- 臺北市：如何，2007.09
272面；14.8×20.8公分. --（Happy body；73）
ISBN 978-986-136-140-6（平裝）
譯自：BYOUKI NI NARANAI IKIKATA 2 JISSENHEN
1.健康飲食　2.健康法

411.3　96013372

請寫下您的閱讀心得與感想

感謝您購買《不生病的生活》系列。

自從中文版上市以來，獲得無數讀者的熱烈回應，藉此表達由衷感謝之意。也希望看完本書後，您也能與我們分享閱讀感想或是給予建議，提供本社作為改進參考。

您的心得或建議：